La memoria

1266

Caterina Cardona

Un matrimonio epistolare

Corrispondenza tra Giuseppe Tomasi di Lampedusa e Alessandra Wolff von Stomersee

Con uno scritto di
Giorgio Manganelli

Sellerio editore
Palermo

1987 Prima edizione «Prisma» col titolo Lettere a Licy. Un matrimonio epistolare

2023 Nuova edizione accresciuta «La memoria»

Questo volume è stato stampato su carta Grifo vergata prodotta dalle Cartiere di Fabriano con materie prime provenienti da gestione forestale sostenibile.

Cardona, Caterina

Un matrimonio epistolare : corrispondenza tra Giuseppe Tomasi di Lampedusa e Alessandra Wolff von Stomersee / Caterina Cardona ; con uno scritto di Giorgio Manganelli. - Palermo : Sellerio, 2023.
(La memoria ; 1266)
EAN 978-88-389-4501-4
1. Tomasi di Lampedusa, Giuseppe - Carteggi [con] Stomersee-Wolff, Alexandra : von
853.914 CDD-23 SBN Pal0360626

CIP - *Biblioteca centrale della Regione siciliana «Alberto Bombace»*

Un matrimonio epistolare

Corrispondenza tra
Giuseppe Tomasi di Lampedusa
e Alessandra Wolff von Stomersee

Introduzione

Non toccherò quasi nulla di questo mio testo di trentacinque anni fa, anche se attorno a quelle due singolari e bizzarre figure di Giuseppe e Licy – Giuseppe Tomasi di Lampedusa e sua moglie Alessandra Wolff chiamata in famiglia Licy – è stato poi riversato, rispetto ad allora, un profluvio di saggi, tesi di laurea, romanzi, aneddoti, racconti e dicerie le più varie, via via che dalle macerie di Palazzo Lampedusa nonché da qualsiasi libro, cassetto o anfratto delle case Lanza Tomasi e Biancheri (gli amati zii di Giuseppe) emergevano nuovi documenti, appunti, altre lettere: insomma, "un'iradiddio", avrebbe detto l'autore del *Gattopardo*. Certo, nuovo materiale per gli storici. E, soprattutto, per Gioacchino Lanza Tomasi e Nicoletta Polo Lanza Tomasi, che in questi anni hanno curato, con amore e sapienza grandissimi, tutto quello che oggi costituisce il *corpus* lampedusiano, mettendolo a disposizione degli studiosi e di tutti i numerosissimi amanti dello scrittore siciliano. Gioacchino e Nicoletta, a voi la mia infinita gratitudine così come sempre, nel ricordo, a Boris e Gippi: amatissimi.

Nulla di tutto questo fervore, invece, si percepiva alla metà degli anni Ottanta e, anzi, ricordo bene l'educato stupore iniziale di tutta la famiglia al mio interessarmi a quel mucchietto di lettere conservate in un cassetto della casa di via S. Martino della Battaglia, la casa della famiglia Biancheri, dove Giuseppe era spirato e dove adesso sul portone si può vedere una targa che ne ricorda i lunghi soggiorni romani. Era lo stupore di chi scopre che altri hanno interesse per dei racconti di casa in fondo dati per scontati. Risaputi dal ristretto gruppo dei familiari, certo, «ma a chi altri potrebbero interessare?». E, invece, avevano incantato me che, dall'amico Boris Biancheri e da suo fratello Giuseppe, chiamato Gippi in famiglia, ero stata incaricata di mettere in ordine la corrispondenza e le carte della madre, Lolette Biancheri, da poco scomparsa. E Lolette era la sorella di Alessandra e quindi amatissima cognata di Giuseppe.

Nel cassetto dove erano conservate le lettere di famiglia ritrovai un delizioso diario in francese di Lolette ragazza che aveva attraversato lieve, frivola, ignara e assorbita da sé, lo scoppio della Rivoluzione d'Ottobre, a San Pietroburgo, prima di fuggire con tutta la famiglia in Finlandia. Accanto, legati con nastrini di seta, pacchetti di lettere giovanili di quelli che erano semplicemente gli zii dei Biancheri: Giuseppe e Licy, appunto. Ricordo il pudore di quelle mie letture, il senso di scoperta di un mondo e del rivelarsi del codice più intimo di un rapporto tra due persone che non avevo conosciuto ma che adesso mi si manifestavano con disarmante immediatezza.

Il ritrovamento di un carteggio, è notazione banale, si apparenta al lavoro dell'archeologo. Si tratta, in fondo, muovendosi con somma cautela, di portare alla luce un reperto che può rivelarsi interessante perché proviene da mondi e da modi che oggi appaiono quasi arcaici e, comunque, "altri": chi mai di questi tempi userebbe pagine e pagine di carta azzurrina e la matita per fare un «punto della situazione come si deve» o rivelare tutto il suo intimo imbarazzo per un annuncio vitale da affidarsi alle poste nazionali? Persino i francobolli sono diventati introvabili, del tutto obsolete le cassette delle lettere. Una cosa, però, è affrontare, per esempio, un carteggio per così dire storicizzato, affidato ad un archivio, e una cosa molto diversa è aprire un cassetto privato come allora mi capitò. Da parte mia, fra mille remore, un senso forte di riserbo e infiniti imbarazzi, ne nacque un affetto che ancora perdura intatto. Una sorta di apparentamento, in qualche modo una tenerezza, una complicità che poi ricostruii avere forse le sue origini in una scena della mia infanzia. Era il 1959 e ascoltai mio padre, che aveva appena ricevuto una telefonata, riferire a mia madre: «Era Maria Bellonci, quest'anno il Premio Strega non può che andare al *Gattopardo*. Pare sia una vera rivelazione, un libro bellissimo di un autore molto sfortunato, morto, purtroppo, due anni fa, poco più che sessantenne».

È da quell'episodio che nacque la mia prima curiosità per quel libro e quell'autore sfortunato, fattasi complice poi ed estesasi anche a Lei, scoprendo, tanti anni dopo, quel carteggio palpitante alla sua *Dear and best*, *Murili darling*, *Mon ange chéri*, Licy, appunto.

Roma, agosto 2022, 90 anni dopo Riga…
con un grazie sempre a Dianora Citi per il suo «occhio di lince»

Introduzione all'edizione del 1987

«Questa non è una lettera», troviamo spesso nelle missive di Virginia Woolf: come a dire, secondo i casi, è qualcosa di più, è qualcosa di meno. Perché per lei «una lettera come si deve, registra ogni oscillazione, le note alte come le basse [...] dovrebbe essere una pellicola di cera su cui si ricalcano le sporgenze e le incavature della mente». Un'idea alta quindi, oltre che estremamente precisa, di che cosa sia una lettera, di che cosa debba essere per meritare questo nome.

Scorrendo allora il carteggio tra Giuseppe Tomasi di Lampedusa ed Alessandra Wolff Tomasi di Lampedusa viene subito da pensare: chissà se queste sono lettere «come si deve», perché innanzitutto, più che allo scrivere rimandano al parlare, più che al desiderio di esprimersi e di rivelarsi rimandano a quello di «tenersi a bada», più che alla incisività consapevole dell'atto, rimandano ad una consuetudinaria casualità.

Intanto un carteggio tra due persone, sempre le stesse: marito e moglie. E già questo è insolito (avremo modo di vedere il perché di tutto questo scriversi, per anni, tra coniugi): assomiglia più che altro ad una conversazione, una sorta di conversazione al rallentatore.

Eppure sono lettere. E non solo perché scritte e spedite, munite di intestazione e saluti, buste, indirizzo, e così via, con tutto il rituale che sottende questa forma del comunicare, ma perché, anche se per vie traverse, inconsapevoli, impercettibili, ci dicono alla lunga molto, anzi moltissimo, dei loro estensori.

Una delle particolarità singolari degli epistolari, e forse una delle principali ragioni del fascino che li circonda, sembra derivare dal loro carattere di "soglia", dal loro porsi, cioè, lungo il confine ambiguo che separa lo scambio dialogico con l'altro dalla solitudine autosufficiente della scrittura.

Lavorare su di una corrispondenza pone subito un problema di definizione: che cosa assumiamo come oggetto privilegiato? Perché una lettera è importante? Per chi la riceve? Per quello che dice? Per come lo dice? Le domande da porsi sono molte. Qui, nel nostro carteggio, la cosa più importante sembra essere proprio quel carattere di "soglia", cui accennavamo prima, quasi un mito che con insistenza ritorna.

Innanzitutto, rapidamente, chi sono i due protagonisti. Di Giuseppe Tomasi di Lampedusa, autore del *Gattopardo* e di quel meno conosciuto ma splendido racconto dal titolo *Lighea*, oltre che dei *Luoghi della mia prima infanzia* e di qualche altra pagina, si sa, tutto sommato, poco, se lo si paragona alla sterminata bibliografia che riguarda il romanzo.[1] Ma vi è un *Ricordo di Lampedusa* di Francesco Orlando, sul periodo tra il 1953 e la scomparsa immatura, precedente di un anno la pubblicazione del libro, del principe palermitano, il 1957, a cui non si può che rimandare con deferenza perché è un piccolo gioiello di incisività, sapienza ed intuizione psicologica.

Da un punto di vista strettamente biografico rimane quindi nel vago tutto il periodo centrale della vita di Lampedusa: dalla giovinezza fino ai sessanta anni.

«*No personal matters*» amava ripetere Giuseppe, e questo avrebbe potuto essere anche il motto di Alessandra, sua moglie, di origine baltica, di due anni più grande di lui (era del 1894). Analista freudiana, è a lei che si deve l'introduzione della psicoanalisi a Palermo negli anni Trenta.

Conosciutissima e personaggio di spicco nell'ambito degli allora ristretti adepti della Società Psicoanalitica, ne fu la presidentessa tra il 1955 ed il 1959. Instancabile organizzatrice, fu autrice di numerosi studi di analisi applicate, fra cui, il più importante, quello su di un caso di licantropia.

Di Alessandra Tomasi non c'è una biografia e il ritratto più completo è quello, commosso e illuminante che, alla morte (nel 1982), ne ha fatto Francesco Corrao, che ne era stato allievo, sulla «Rivista di Psicoanalisi».

Due personaggi, quindi, e, data l'epoca in cui si collocano, perfino più singolare lei di lui.

Ma veniamo al carteggio: in che cosa consiste, che cosa è rimasto della corrispondenza che si sono scambiati per anni. C'è un pacchetto compatto di lettere d'amore di Giuseppe a Licy (la chiamiamo così come la chiamava lui) nell'aprile-maggio 1932, cioè immediatamente prima del loro matrimonio, inviate da Palermo a Roma, una al giorno. Poi un gruppo di Licy, dal Baltico, a Giuseppe, a Palermo, che copre in modo discontinuo gli anni (le estati, se pure allungate, perché poi in inverno si riunivano) dal 1935 al 1939.

Di nuovo un pacchetto abbastanza sistematico di Giuseppe durante la guerra, tra il 1941 ed il 1943 (l'ultima porta la notizia del bombardamento del 5 aprile '43 che ridusse completamente in macerie Palazzo Lampedusa). Un lunghissimo vuoto di sette anni, e poi un ultimo gruppo, da Giuseppe a Licy, che è a Roma, nell'autunno 1950: in tutto circa duecento lettere, comprese anche alcune scritte ai genitori e ad Alice Barbi, mamma di Licy.

Un carteggio dal carattere unilaterale quindi: a periodi alterni abbiamo solo le lettere di lei, o solo quelle di lui.[2]

E unilaterale, erratica, sentimentale, è stata la scelta di chi ha provato ad accostarsi a queste lettere. Proprio per il loro carattere assolutamente discorsivo, per l'assoluta privatezza che le permea, più che riportarle integralmente, più che usarle per ricostruire fatti, storie e avvenimenti, le si è volute ascoltare, appunto, come una conversazione al rallentatore.

C. C.

Questo libro deve molto a molte persone. Innanzitutto la sua stessa esistenza a Boris Biancheri Chiappori, a Giuseppe Biancheri Chiappori e a Gioacchino Lanza Tomasi. A loro è dunque dedicato, con riconoscenza e affetto.

Giovanni Macchia lo ha incoraggiato con i suoi consigli.

Francesco Corrao, Alfonso Circo, Giancarlo Decimo hanno contribuito con varie notizie su Alessandra Tomasi, Laura Valli Volterra con la sua amichevole partecipazione nella revisione dei testi francesi. Walter Pedullà lo ha seguito con autorevole interessamento.

Roma, dicembre 1986

Capitolo primo

> Eraclito, credo, chiama i dormienti operatori e collaboratori di ciò che accade nell'universo.
>
> MARCO AURELIO 6,42

Palermo, 9 novembre 1950

La dernière nuit que j'ai passé à Capo j'ai eu un rêve très étrange et assez sinistre. J'étais à Rome, à l'Hotel Quirinale, avec mon père et ma mère (toi tu ne figures pas dans le rêve). Et on me donne une carte postale imprimée comme celles qui arrivent pour des impôts: on m'annonçait que j'étais condamné à mort, et que je devais aller me faire exécuter le lendemain à telle et telle heure, dans une caserne près de S. Maria Maggiore. Je salue mes parents et j'arrive à l'aube à cette caserne, vide. Je monte des grands escaliers, je traverse des couloirs et me présente dans une sort de corps de garde où il y avait trois militaires couchés sur un lit de bois comme il y a dans les corps de garde, un d'eux se lève et me demande ce que je désire: je montre une carte et dis: «Sono il condannato a morte che viene per l'esecuzione». Le militaire est tellement impressionné qu'il s'évanouit. Les autres le rassurent en disant: «Ma che stupido sei! È lui che deve morire e non tu». On me demande à quelle adresse on doit annoncer l'exécution et on me dit d'attendre dans le couloir. J'attends un peu, je remarque qu'il n'y a personne, je pense qu'il est ridicule d'attendre ainsi et que je dois essayer d'échapper. (On dirait un roman de Kafka). En effet je redescends l'escalier, je sors, je me promène dans des tas de rues jusqu'à ce que vers le soir j'entre dans une sorte de boîte de nuit ou je vois mon Père, assis à une table, pleurant et essayant de noyer son chagrin dans du champagne. Je m'approche de lui et dis à son oreille: «Dillo a Mamà: sono scappato». Et après d'autres rues et péripéties je me retrouve enfin à la Marina devant la grille de la villa Giulia, me cachant encore mais certain d'avoir échappé au danger.*

* «Palermo, 9 novembre 1950. L'ultima notte che ho passato a Capo, ho fatto un sogno molto strano e piuttosto inquietante. Ero a Roma, all'Albergo Quirinale, con mio padre e mia madre (tu non ci sei nel sogno). Mi viene recapitata una cartolina postale stampata come quelle che arrivano per le tasse, dove mi si annuncia che ero stato condannato a morte e che dovevo andare per l'esecuzione il giorno dopo alla tale ora, in una caserma vicino a S. Maria Maggiore. Saluto i miei genitori e all'alba arrivo a questa caserma, vuota. Salgo su per delle grandi scale, attraverso lunghi corridoi, e mi presento ad una sorta di corpo di guardia dove tre militari sono buttati su di un letto di legno, tipo quelli che si trovano in tutti i corpi di guardia. Uno di loro si alza e mi domanda che cosa desidero: io mostro la cartolina e dico: "Sono il condannato a morte che viene per l'esecuzione". Il militare s'impressiona talmente che sviene. Gli altri lo rassicurano dicendogli: "Ma che stupido sei, è lui che deve morire e non tu". Mi chiedono a quale indirizzo va annunciata l'esecuzione e mi dicono di aspettare nel corridoio. Aspetto un poco, noto che non

Questo sogno viene ad interrompere una consuetudine oramai definita: «Farmi psicanalizzare dalla moglie, fossi matto!» e invece «[...] voilà que moi aussi je me mets à te donner du matériel de P.A.». Dove P.A. sta qui per "*psychanalyse*". La risposta di Licy non c'è, si è persa da qualche parte, come succede nei carteggi. Comunque, questa sembra essere l'unica volta che Giuseppe racconta per lettera a sua moglie un sogno, così lungo e complesso e con tanta ricchezza di particolari. Un sogno premonitore, si potrebbe azzardare. Ma lei lo avrà intuito? Forse sì, e se lo sarà tenuto per sé, visto che si occupava di psicoanalisi da più di trent'anni.

Un sogno archetipico, come una favola, come un racconto, come una liberazione. Uno di quei sogni in cui tutto si condensa e in cui una vita intera, gli affanni, le ansie, gli affetti, le grandezze e le minuzie si decantano assieme a una folgorante memoria di se stessi per se stessi.

c'è nessuno e penso che è ridicolo stare ad aspettare così e che devo provare a scappare. (Si direbbe un romanzo di Kafka). In effetti ridiscendo le scale, esco, e mi aggiro per strade e strade fino a quando, verso sera, entro in una specie di locale notturno dove vedo mio Padre seduto ad un tavolino, che piange e cerca di annegare il suo dolore nello champagne. Io mi avvicino a lui e gli dico in un orecchio: "Dillo a Mamà: sono scappato". E dopo altre strade e altre peripezie mi ritrovo alla fine alla Marina, davanti al cancello della villa Giulia: nascondendomi ancora, ma sicuro oramai di essere scampato al pericolo».

Un sogno, quindi, come una storia, «*a healing fiction*», una storia che cura, una storia da raccontare. E per Giuseppe Tomasi, principe di Lampedusa, duca di Palma, era finalmente arrivato il momento di raccontare.

Il sogno, inquietante, che Giuseppe Tomasi di Lampedusa fa mentre è ospite dei cugini Piccolo nella loro villa di Capo d'Orlando sulla costa nord-orientale della Sicilia, inizia a Roma e finisce a Palermo, alla Marina, intorno ai luoghi di casa sua. Come quel viaggio del luglio 1883, l'ultimo di don Fabrizio Salina, che sigla la fine del *Gattopardo:* «Ma dove andiamo, Tancredi? [...] Zione, andiamo all'albergo Trinacria; sei stanco e la villa è lontana [...]. Ma allora andiamo alla nostra casa di mare; è ancora più vicina».[1]

Di quel viaggio di don Fabrizio il sogno del novembre 1950 ha anche lo stesso andamento straniato ed affannoso, se pure reso ellittico da una di quelle improvvise sbrigatività che i sogni hanno in comune con le favole: «Et après d'autres rues et péripéties je me retrouve enfin à la Marina». «Si attraversavano paesaggi malefici, giogaie maledette, pianure malariche e torpide; quei panorami calabresi e basilischi che a lui sembravano barbarici, mentre di fatto erano tali e quali quelli siciliani. La linea ferroviaria non era ancora compiuta: nel suo ultimo tratto vicino a Reggio faceva una larga svolta per Metaponto attraverso plaghe lunari che per scherno portavano i nomi atletici e voluttuosi di Crotone e di Sibari. A Messina poi, dopo il mendace sorriso dello Stretto subito sbugiardato dalle riarse colline peloritane, di nuovo una svolta, lunga come una crudele mora procedurale. Si era discesi a Catania, ci si era arrampicati verso Castrogiovanni: la locomotiva annaspante su per i pendii favolosi sembrava dovesse crepare come un cavallo sforzato; e dopo una discesa fragorosa, si era giunti a Palermo».[2]

Dopo aver tanto affannosamente vagato, di quel vagare incessante dell'anima di cui parla Platone nel *Timeo*, anche Giuseppe lì ritorna nel sogno: alla Marina, a Palermo, davanti al cancello familiare della villa Giulia dove andava a giocare da bambino, quella sorta di giardino incantato dove Goethe, nel suo *Viaggio in Italia*, racconta che aveva passato «ore di quiete soavissima» («Palermo, sabato 7 aprile 1787. Nel giardino pubblico vicino alla Marina ho passato ore di quiete soavissima. È il luogo più stupendo del mondo. [...] Nonostante la regolarità del suo disegno, ha un che di fatato: risale a pochi anni or sono, ma ci trasporta in tempi remoti»). Giuseppe non procede, si arresta al cancello.

Se ci si avvicina attenti e cauti a questo sogno, ciò che colpisce è, al di là della sua immediata e sinistra cupezza, una singolare vitalità. Questo non è un sogno di morte annunciata.

Racconta Marie-Louise von Franz nel suo libro *La morte e i sogni*[3] che «[...] nei sogni di morte appare spesso la figura di un intruso», quasi un messo che prepara all'ultimo viaggio, un mediatore dei contatti più profondi tra l'io e l'inconscio. E prende ad esempio, tra gli altri, proprio la figura della giovane donna con la veletta che appare a don Fabrizio morente nell'ultimo capitolo del *Gattopardo*: «Fra il gruppetto ad un tratto si fece largo una giovane signora; snella, con un vestito marrone da viaggio ad ampia "tournure", con un cappello di paglia ornato da un velo a pallottoline che non riusciva a nascondere la maliziosa avvenenza del volto. Insinuava una manina guantata di camoscio fra un gomito e l'altro dei piangenti, si scusava, si avvicinava. Era lei la creatura bramata da sempre che veniva a prenderlo: strano che così giovane com'era si fosse arresa a lui; l'orario di partenza del treno doveva essere vicino. Giunta a faccia a faccia con lui sollevò il velo, e così, pudica, ma pronta ad esser posseduta, gli apparve più bella di come mai l'avesse intravista negli spazi stellari». «La figura destinata a portarlo via è diventata qui una figura dell'anima» commenta la von Franz.

Qui, nel "sogno del condannato a morte", non vi sono intrusi di sorta: Lampedusa si aggira in un paesaggio interiore assolutamente familiare, e quell'unica figura estranea, la giovane guardia, che è «tentata» dalla morte, viene invece ironicamente richiamata alla possibilità, e al dovere, di vivere ancora. Come a mostrare che, prima della morte, forse non lontana, vi è un compito che deve essere affrontato: si potrebbe dire junghianamente, un ultimo e decisivo passo sulla strada del «processo di individuazione».

La conclusione del sogno davanti ad un cancello richiama la stessa tematica. I cancelli, le porte, i grandi portali, sono, nell'ambito del simbolismo archetipico, il luogo del passare oltre. Sono le strutture che rendono possibile un rito di passaggio. La prospettiva del mondo infero inizia ai cancelli d'ingresso, là dove ingresso significa iniziazione. I cancelli compaiono per lo più alla fine dei sogni, quando, appunto, ci si avvicina alla "soglia", e dal sonno si trascolora alla veglia. Dal mondo notturno si sta per passare a quello diurno e nell'immagine del cancello c'è l'idea, archetipica, di un transitare tra due mondi opposti e l'invito a non fermarsi, a proseguire.[4]

C'è l'idea, dunque, di una trasformazione da compiersi.

Giuseppe quindi, aggrappato al grande cancello nero di ferro battuto della sua infanzia, alla soglia del giorno, si nasconde ancora «mais certain d'avoir échappé au danger». Si porta dietro la pena e la fatica di chi ha compiuto una discesa nell'Ade («rêve étrange et assez sinistre») e si è congedato definitivamente dai suoi genitori.

Ha lasciato il padre a compiangersi e a piangerlo in quel mondo notturno in cui ora, e già da tempo, s'aggira (il principe Giulio Lampedusa era morto nel 1934 e l'ironia di Ermes trasforma per lui l'Ade in una sorta di night club dove bere lo champagne che compete al suo rango). Sarà stata simile, quella «boîte de nuit» dove stava il principe Giulio, al «[...] caffè di Via Po dove adesso, solo come un cane, mi recavo ad ogni momento libero [...] una specie di Ade popolato da esangui ombre di tenenti colonnelli, magistrati e professori in pensione [...]», come racconterà anni dopo scrivendo *Lighea*? Sempre nel sogno Giuseppe è riuscito a staccarsi, complice, ma fermo come non mai, da quella «Bona, mia bonissima Bona, Mamà» che finché viva lo aveva tenuto avvinghiato a sé in un amore assoluto e dispotico e che era venuta a mancare pochi anni prima, nel 1946: «Dillo a Mamà: sono scappato». Insomma una vita intera, la sua vita, si è compiuta nel trascorrere di una notte e due facciate di una lettera a Licy.

Tutto inizia all'Albergo Quirinale dove Giuseppe Tomasi aveva la consuetudine di scendere quando era di passaggio a Roma. Albergo che rappresentava, all'epoca, l'esatto tono, tra il mondano e il riservato, che s'addiceva ad un principe siciliano ormai decaduto sotto il peso di quelle cartoline delle tasse che qui ricompaiono come riferimento del tutto familiare. Poi il sogno prosegue nel mondo delle caserme, "luogo degli uomini" per eccellenza, che Lampedusa conosceva bene e che lo riportava per lo più alla Grande Guerra, sempre ricordata come uno dei periodi della sua vita più vivaci ed avventurosi quando gli capitò di «uccidere con una pistolettata un Bosniaco e chissà quanti altri cristiani a cannonate».[5] Nel 1916 Lampedusa era stato richiamato e poi inviato al fronte per un breve periodo. Fatto prigioniero, scappato, ripreso, era rimasto fino al 1920 nell'esercito con il grado di tenente. Di nuovo richiamato, con il grado di capitano, allo scoppio della Seconda guerra mondiale prestò servizio in artiglieria. Alla fine fu congedato per una periostite. Nella caserma del sogno vicino a S. Maria Maggiore (in effetti, a poche decine di metri dalla Basilica, a via Paolina, c'era allora il distretto militare) ritrova grandi scalinate, lunghi corridoi (nel Palazzo di Donnafugata «ve n'erano lunghissimi, stretti e tortuosi, con finestrine grigliate che non si potevano percorrere senza angoscia»),[6] e quel ragazzo, la giovane guardia, che sviene perché s'emoziona e non regge, non ce la fa, è fragile ancora: «Ma che stupido sei. È lui che deve morire e non tu, tu hai ancora da vivere [...]».

Avrà intuito Licy? Era, tutto questo, compreso l'inusitato raccontarglielo per lettera, un messaggio diretto anche a lei? Come a dire: «Guarda, che da tutto mi sono liberato alla fine, da mio padre, da mia madre, anche da te». «Noi abbiamo da imparare, quando amiamo, solo questo: lasciarci» dice l'amato Rilke nel *Requiem*: «Perché il tenersi, questo per noi è facile, e non c'è bisogno d'impararlo». E Ernst Bernhard, lo psicoanalista junghiano di origine berlinese, nella sua *Mitobiografia*, meditando proprio su questi versi, scriveva: «Nel matrimonio ci sono due fasi che coincidono con la prima e la seconda metà della vita, ma che – come tutta la problematica delle fasi della vita in genere – coesistono sempre l'una accanto all'altra e si intersecano con problemi di tipo, di carattere e di destino. Il contenuto della prima fase, servendoci della formula sull'amore di Rilke nel *Requiem*, si può definire: tenersi! Quello della seconda: lasciarsi! La prima è proiezione e completamento, la seconda ritiro della proiezione e realizzazione dell'immagine interna del compagno grazie allo sviluppo dell'individualità, arricchita dell'opposto».[7]

Un sogno, a scioglierlo, spesso diventa banale, quasi volgare. Sono l'atmosfera ed il contesto che ne condensano le alchimie, così private da rendere quasi empio il volerle analizzare e fissare. L'ambiguità del sogno risiede nella natura essenziale dell'immaginazione che, come un fiume che scorre, deve muoversi, perché il sogno è l'anima stessa e «l'anima» dice Eraclito, «non ha fine».

Ma, a parte ogni più profondo indagare, c'è, in questa notte del novembre 1950, uno scatto improvviso che restituisce al suo sognatore di colpo tutta la sua vitalità: «[...] je pense qu'il est ridicule d'attendre ainsi et que je dois essayer d'échapper». Il francese tende un poco, in questo caso, con quel «ridicule», a rendere più sfumato, più educato e contenuto, meno virile, un sentimento che, invece, qualche anno dopo, troverà più acconce e terragne parole in una lettera di Lampedusa al suo migliore amico:

31 marzo 1955, Via Butera, 28, Palermo

Carissimo Guido [...] sono accaduti (o per meglio dire sono sul punto di accadere) due fatti importantissimi:

Il castello di Stomersee in una fotografia degli anni Cinquanta.

Giuseppe e Licy affacciati a una finestra del castello di Stomersee, estate 1931.

1) ho scritto un romanzo, 2) stiamo per adottare un figlio. Comincio dal primo e meno importante evento. Io non ho cugini da parte paterna, intendo dire cugini di primo grado. Ne ho invece tre da parte materna. Da un paio di anni in questi miei tre cugini si è risvegliata una violenta attività artistica; uno si è messo a fare delle acqueforti, ed in mostre a Roma e a Milano ha avuto larghi successi di pubblico e di critica; un altro che aveva dipinto tutta la vita da dilettante, a sessant'anni passati ha messo su una mostra personale, ha venduto i suoi quadri in una settimana ed è proclamato grande artista: il terzo (il più giovane ma che ha cinquantatré anni) ha fatto stampare un volumetto di versi; ne ha inviato una copia al terribile Eugenio Montale e, a giro di posta, ha ricevuto una lettera che lo proclama un genio, ha ricevuto un premio letterario a S. Pellegrino, e le sue poesie saranno pubblicate il mese prossimo da Mondadori con prefazione di Montale: intervista sui giornali, fotografia nell'«Epoca» (luglio '54); un'iradiddio (compra il volume quando uscirà: Lucio Piccolo, *Canti Barocchi*). Benché io voglia molto bene a questi cugini (specie ai due ultimi) debbo confessare che mi sono sentito pungere sul vivo: avevo la certezza matematica di non essere più fesso di loro. Cosicché mi son seduto a tavolino ed ho scritto un romanzo: per meglio dire tre lunghe novelle collegate tra loro.[8]

E così il *Gattopardo*, secondo il suo autore, fu scritto per una sorta di risveglio di amor proprio nei confronti degli amati cugini Piccolo di Capo d'Orlando, improvvisamente baciati dall'attivismo e dal successo: «[...] poiché avevo la certezza matematica di non essere più fesso di loro». Uno scatto di orgoglio.[9]

Ma non era forse iniziato già tutto prima, con quell'aver sentito «qu'il est ridicule d'attendre ainsi et que je dois essayer d'échapper» e con quel sogno fatale – che gli si ripresenterà quasi identico più volte negli anni successivi – in cui si era lasciato alle spalle tutti gli *eidola* della sua vita?

Racconta Francesco Orlando (teorico e critico letterario che da ragazzo aveva frequentato Tomasi di Lampedusa), nel suo bellissimo *Ricordo di Lampedusa*, che ad un certo punto della loro frequentazione, verso il '55 (lui era poco più che un ragazzo e Lampedusa, quasi sessantenne, si era offerto di insegnargli l'inglese), percepì chiaramente un cambiamento di tono nei suoi confronti. La disponibilità totale e la curiosità con cui aveva accolto l'allora giovanissimo studioso due anni prima, si era lievemente appannata e il principe si era fatto più evasivo, quasi scontroso. Ripensandoci, anni dopo, alla luce di quanto poi avvenne, Orlando si rese conto «che con ogni verosimiglianza l'impegno aveva cominciato ad essere per lui uno ed uno solo, la scoperta della propria vocazione di scrittore; i ricordi d'infanzia, affrontati nel giugno del 1955, stavano per sfociare nel *Gattopardo*. Mettendo insieme questo fatto (che non mi fu noto subito) con l'indubbia svolta del suo contegno – continua Orlando – sarei tentato di dire che Lampedusa sentiva di non avere oramai più nulla da discutere né da insegnare né da imparare; più nessuna costrizione che valesse la pena di esercitare su se stesso: il lunghissimo tirocinio di sessant'anni era finito, e la sua vita stava per dare i propri tardivi ma definitivi frutti».[10]

I tardivi ma definitivi frutti (*Il Gattopardo*, i *Racconti*) sono a tutti ben noti. Come pure il fatto che dopo aver incominciato a dare lezioni di inglese a questo suo unico allievo, con quella fantasia e competenza che Orlando descrive, Lampedusa allarga il suo "pubblichetto" ad una decina di persone ed incomincia a dare lezioni di letteratura francese, lezioni che poi in parte furono pubblicate, anche queste, come tutto il resto, postume.

Gli ultimi anni della vita di Lampedusa hanno, quindi, una tonalità del tutto diversa dagli anni precedenti. Si potrebbe dire che furono anni "grassi" rispetto a quelli "magri" o a volte "magrissimi" della sua età di mezzo e fors'anche della giovinezza, continuando ad applicare una distinzione che aveva carissima per la letteratura.

"Grassi" secondo Francesco Orlando erano per Lampedusa gli scrittori che «esprimono tutti gli aspetti e tutte le sfumature di quanto vanno dicendo, sottraggono al lettore la responsabilità di dedurre e sviluppare lui stesso a partire dalle loro parole, perché tutto risulta già dedotto e sviluppato in esse. I "magri" invece vanno letti addossandosi di buona voglia questa allettante responsabilità; il senso delle loro pagine succinte domanda segretamente di essere integrato dalla collaborazione del lettore; in loro il non detto è più succoso del detto e non è meno preciso perché un'arte sapiente ed allusiva avvia infallibilmente ad esso il lettore perspicace. "Grassi" erano per esempio Dante, Montaigne, Shakespeare, Balzac, Thomas Mann o Proust, i "magri" Racine, La Rochefoucault, Madame de La Fayette, Laclos, Stendhal, Mérimée, Gide».[11]

Questa distinzione fra "grasso" e "magro", oltre che letteraria come categoria dello spirito più ancora che del corpo, probabilmente discendeva a Lampedusa da quella più intima filosofia di vita che lo portava a frequentare l'implicito e ad aborrire l'esplicito. Là dove l'esplicito, o meglio ancora l'esplicitezza, per lui era il segno, volgare, di una carnalità esibita («I gran signori erano riservati ed incomprensibili, i contadini espliciti e chiari» si dice nel *Gattopardo*), era l'arte, nefasta ai suoi occhi, del melodramma, il luogo della meridionalità più torrida ed oleografica, l'apoteosi dell'iperbole contro, invece, la tanto più aristocratica e saturnina litote, che rende parente l'implicito, l'implicitezza, a quell'arte sublime del vivere che è l'*understatement*.

«La verità insomma non può e non deve stare nelle parole, bensì dietro le parole, in un retroterra di sottintesi ed allusioni che voce gesto ed espressione del viso manifestano assai meglio del verbo».[12]

E che tutto questo per Lampedusa non fosse soltanto un gusto professato e snobistico ma uno stile intimo e specialissimo suo, se pure dettato da un'interpretazione nevrotica del mondo aristocratico da cui proveniva, e che questo mondo poi ne risultasse, comunque, così come era nelle sue più profonde radici, sublimemente siciliano, lo si vede, assai chiaramente, dalle lettere a sua moglie Licy.

Giuseppe e Licy si scrivono per oltre venti anni. Tanto che il loro si potrebbe definire «un matrimonio epistolare». E il perché di tutto questo scriversi nasce, innanzitutto, dalle circostanze.

Giuseppe, troppo legato alla *routine* palermitana, a quelle che chiamava le sue «trottes» lungo la via Maqueda, alla madre, alle chiacchiere di Palermo – come, d'altra parte, Licy alle «chiacchiere del Baltico» – se ne staccava sì, ma con cautela.

Licy, baronessa Alessandra Wolff von Stomersee, baltica di origine, fortemente legata ai suoi luoghi di nascita e in particolare al castello di Stomersee ereditato dal padre, insofferente della calura siciliana (e non solo della calura), amava passare lunghi periodi dell'anno nelle sue proprietà in quasi completa solitudine.

Quando poi, nel 1940, i paesi baltici furono annessi all'Unione Sovietica e tutte le terre di

Alessandra andarono completamente perdute, fu il lavoro di psicoanalista (che dopo la guerra la vide attivissima, con Nicola Perrotti, Cesare Musatti e Emilio Servadio, tra i rifondatori della Società Psicoanalitica Italiana) e la presenza dell'unica sorella, Lolette Biancheri, con i nipoti, a tenerla per alterni periodi a Roma. Giuseppe e Licy si scrivono, quindi, perché sono lontani, e lo sono frequentemente.

Uno scriversi di necessità, ma non è tutto. Così come lo stare lontani l'una dall'altro costituisce un elemento strutturale e non accidentale del loro matrimonio, altrettanto lo scriversi ha la pertinenza di un atto che non è mai marginale. Tanto che il loro carteggio – le lettere dell'una più le lettere dell'altro – si presenta con un aspetto compatto, ha una cifra sua propria e complessiva che trascende le differenze, pur notevoli, di carattere e di sentire. E se ne può parlare allo stesso modo in cui si parla dello "stile" di un matrimonio, in cui si cerca di individuare la chiave che lega due persone. Chiave che sembra potersi riassumere, di nuovo, in quel culto dell'implicito, dell'implicitezza, cui si è già avuto modo di accennare: essi si scrivono affidando al non scritto la stessa imperturbabile forza che doveva avere il non detto.

Per anni riempiono facciate di fogli parlando di niente, o meglio, parlando di tutto; della loro salute (lei soprattutto), dell'amico Bebbuzzo e dell'altro chiamato "le Philosophe", delle liti tra cugini, di cibo, di cani (molto), di case, di tasse e di soldi (sempre pochi), di inquilini morosi e lamentevoli, di matrimoni e conseguenti regali di nozze da fare, di Lila e Lolette (l'amica di sempre e la sorella), dei pettegolezzi del Circolo Bellini e del caldo e del freddo, tremendi, di Palermo e di Stomersee. Parlano poco di letteratura, poco di psicoanalisi, che erano le due cose che stavano più a cuore rispettivamente all'uno e all'altra, quasi mai di sentimenti. Il sentimento, per non parlare della passione, sembra essere cortesemente accantonato. C'è però un gruppo di lettere in cui si parla "solo" di sentimenti e sono quelle che Giuseppe spedisce a Licy nel maggio del 1932, poco prima di sposarsi, e fanno storia a sé. Sempre negli anni, Giuseppe e Licy si scrivono in francese, lingua che non era né per l'uno né per l'altra quella materna, si scrivono cioè «in quel francese ricercato nel quale non solo parlavano ma anche pensavano i nostri nonni»,[13] come si dice in *Guerra e pace*, e che aveva la fondamentale funzione, da un lato, di segnalare i confini a volte incerti di un ceto, di tutelare con grazia una appartenenza, di sottolineare con evidenza un'educazione; dall'altro, di sfumare i momenti troppo taglienti dell'esistere: «Ah, maman, ne dites pas de bêtises. Vous ne comprenez rien. J'ai des devoirs – fece Hélène passando dal russo al francese, lingua nella quale le pareva sempre che la sua faccenda acquistasse un che di vago».[14]

Avrebbero potuto scriversi in inglese, che conoscevano alla perfezione, o in tedesco, che era stata per tutti e due la lingua dell'infanzia, insegnata dalle *Schwestern*, o alternativamente nel russo di lei e nell'italiano di lui. E invece, da subito, scelgono il francese, e il francese rimane il segno tutto speciale dell'atmosfera che c'è fra di loro, quasi una metafora insistita.

Il francese era anche la lingua insegnata a Giuseppe da sua madre, e per questo doveva essergli fonte di risonanze assai profonde.

«Quando ebbi appreso a scrivere l'italiano, mia madre mi apprese a scrivere il francese: lo parlavo già ed ero stato molte volte a Parigi ed in Francia; ma a leggerlo imparai allora. Vedo ancora mia madre seduta con me, davanti ad una scrivania, a scrivere lentamente e con grande chiarezza *le chien*, *le chat*, *le cheval*, su una colonna di un quaderno con copertina azzurro lucida ed insegnarmi che "ch" in francese è "sc" come in italiano "scirocco e sciacca", diceva lei».

All'interno di questo loro mondo epistolare, di questo loro "matrimonio epistolare", si inscrive poi una sorta di imperscrutabile geografia secondo la quale vengono inserite frasi intere o vocaboli di altre lingue, ritenuti di volta in volta più pertinenti: per lo più concetti tecnici, ovviamente riferimenti letterari, citazioni nella lingua originale, ma non solo.

Capita infatti di leggere Giuseppe che dice «[...] parce que comme on dit en italien sono stanco [...]» (senza che l'italiano aggiunga qui una sfumatura particolare), o Licy che traduce in russo una frase detta in tedesco da un tedesco. È quindi difficile – e forse di nuovo, come nell'accostarsi al sogno, quasi un po' sacrilego – voler troppo indagare sulla geografia del loro lessico familiare.

Solo l'inglese ha una sua funzione più chiaramente individuabile, soprattutto quando è usato da Giuseppe, ed è quella del "*joke*", dell'aneddoto, dello scherzo o anche, su di un fronte diverso, della parola lievemente più affettuosa, della commozione. La complicità, ecco qualcosa che appartiene sempre all'inglese, lingua innanzitutto del grande amato Shakespeare, e quindi familiare e "poetica" per eccellenza. Ma si potrebbe anche ricordare, a questo proposito, che quando nella *Montagna incantata* Giovanni Castorp entra in un'atmosfera leggermente amorosa e comunque insidiosamente intima con la signora Chauchat, la bella Claudia dalle "braccia nude", Thomas Mann li fa scivolare dal tedesco al francese. Come a dire: quello che si chiama un "sentimento scisso" può presentarsi in varie forme. C'è chi riesce a esprimersi sentimentalmente soltanto per iscritto, a distanza, mentre faccia a faccia resta paralizzato, c'è chi ricorre inconsciamente ad una lingua diversa dalla propria. Come se il sentimento, per essere accettato, dovesse sempre essere in un "altro luogo".

E l'italiano? Appare raramente in questo carteggio salvo che ogni tanto Giuseppe scrive, senza alcuna spiegazione apparente, una intera lettera in italiano, come improvvisamente dimentico che la loro "isola" ha il francese come *passepartout*. Ma si riprende subito. In una di queste rare missive leggiamo: «[...] domani ti manderò una lettera in francese con più dettagli», frase che non ha nulla a che fare con la necessità di una maggiore comprensione fra di loro, perché Licy era perfettamente in grado di afferrare qualsiasi sfumatura nella lingua del marito, quanto piuttosto con una certa percezione del linguaggio che avevano in comune.

«Perché», dice il poeta lituano Oscar Milosz, «i nomi non sono né i fratelli, né i figli, bensì i padri degli oggetti sensibili», riferendosi ad una lingua che si fa eterna mediatrice, che mette tutte le cose al loro giusto posto, le tiene sotto controllo. In questo senso la lettera in italiano non è una "vera" lettera fra di loro, è una svista che in qualche modo infrange l'equilibrio stabilito, equilibrio che Giuseppe sente subito il bisogno di ricostruire.

Si potrebbe azzardare che per Lampedusa il "tradurre", quindi, è la regola, non l'eccezione: un tradurre letterario e un tradurre traslato, come bisogno profondo di un approccio sempre schermato alle cose della vita.

La singolarità, però, riscontrabile *a posteriori*, di questo carteggio è anche un'altra e consiste nel fatto di rappresentare (a parte tre articoli comparsi nella rivista «Le opere e i giorni», il primo su Paul Morand nel maggio del 1926, il secondo nel novembre dello stesso anno su *W. B. Yeats e il Risorgimento irlandese* e l'ultimo a proposito di *Una storia della fama di Cesare* nel marzo del 1927, di non grande interesse e in una lingua abbastanza impacciata) l'unico tirocinio letterario di Lampedusa prima del periodo in cui, di getto, scrive *I luoghi* e *Il Gattopardo*: fino a quel momento, infatti, non sembrano esserci novelle nel cassetto, non c'è il lavorare di anni ad una tecnica, l'approfondire, il limare, il perfezionare uno stile.

Può sembrare irriverente il paragone, ma Francesco Orlando riporta ad un certo punto che Lampedusa «tendeva ad interpretare le eccessive esibizioni verbali dei palermitani come compenso per una vita sessuale spesso inibita: "non c'è città in cui si fotta di meno". Ed in altra occasione le corna, cioè l'incubo delle proprie e lo scherzo grossolano su quelle altrui, venivano definite il perno intorno a cui gira la vita dell'isola». Ecco, in senso del tutto traslato, la vita di Lampedusa sembra girare allo stesso modo intorno al perno della letteratura. Un modo obliquo, straniato e contorto. Fino a quando le cose non cambiano: «[...] avevo la certezza matematica di non essere più fesso di loro».

Il fatto, dunque, che il carteggio con la moglie sia, molto probabilmente, l'unico tirocinio di Lampedusa prima di scrivere *Il Gattopardo* e che questo tirocinio sia quasi tutto in francese, e in un francese neppure troppo curato da un punto di vista stilistico, sottolinea il rapporto, diciamo così poco "professionale", che il principe aveva con il comporre. In queste lettere scritte di getto non c'è nessun compiacimento letterario (tranne che in quelle del fidanzamento dove, al contrario, è fin troppo evidente e forse stucchevole), ma anche nessuna cura, nessuna rifinitura, nessuna idea di farne un campo di prova. Esse sono semplicemente un fatto privato, e nello stesso tempo, data la loro continuità e frequenza, hanno una evidente consistenza nella vita di Lampedusa. Non possono non stingere in qualche modo sullo stile che sarà poi del *Gattopardo*, visto che sono l'unica prova letteraria in cui Lampedusa si sia cimentato.

A questo punto ritorna quanto mai pertinente una notazione di Giuseppe Paolo Samonà, che del Lampedusa romanziere è uno dei più acuti conoscitori, a proposito di una questione che agitò la critica letteraria ai tempi della tanto discussa apparizione del romanzo: «è ben scritto o sgrammaticato?» ci si chiedeva. «*Il Gattopardo*» scrive Samonà «è un'opera in non insignificante misura mentalmente tradotta, talvolta con frettolosa sciatteria ma più spesso con sapienti e quasi impercettibili aggiustamenti stilistici. Tradotta da che lingua? Da quella di un poliglotta che è abituato a leggere moltissimo e a scrivere pochissimo: e che per giunta è siciliano, quindi, nonostante la grande cultura e il corretto parlare, con una patina – fonetica, lessicale, sintattica – minima rispetto alla media anche colta, ma non per questo irrilevante in senso assoluto».[15]

Samonà coglie quindi nello stile del *Gattopardo* la singolarità di un rapporto con la scrittura che ne costituisce fra l'altro uno dei pregi. Coglie, più in generale, quell'aver molto letto e poco scritto e, in particolare, quell'abitudine a frequentare gli autori nella lingua originale e a scrivere quasi solo in francese.

Quello che va ancora sottolineato è la relazione con il tradurre inteso, invece, in senso metaforico. Alla luce, infatti, di quanto si è detto del suo rapporto con il traslatare in quanto modo di rendere più "vaghe", e quindi accettabili, le sue "faccende", può forse essere più chiaramente intuibile di quale rivolgimento interno sia frutto questo suo unico romanzo e quale inveramento di se stesso esso rappresenti.

E, infatti, nel momento in cui Lampedusa riesce a scrivere un intero romanzo in italiano, rivela in pieno il vero se stesso e cadono di colpo tutte le difese della sua vita, così che con meraviglia per chi lo aveva sempre sentito professare la superiorità della "magrezza" sulla "grassezza" (e c'è da pensare con sua stessa meraviglia) risulta che «[...] lo stile della sua opera era "grasso" e non "magro", era cioè ricco e non povero di aggettivi, opulento e non parco nelle analisi».[16]

Un carteggio, quel pacchetto di lettere legate da un nastrino sbiadito, conservate in una scatola in fondo a un cassetto insieme alle fotografie di famiglia, ha poi anche una sua "fisicità". Queste lettere hanno una sorprendente compattezza di stile, sorprendente perché si snodano in un arco di tempo piuttosto lungo: dal 1932, che è anche l'anno del loro matrimonio, fino alla morte di Lampedusa, nel 1957.

Perfino la carta rimane invariata. Lui scrive per lo più su carta intestata del «Circolo Bellini 24 – via Ruggero Settimo, Palermo», fino a quando il Circolo e tutto il quartiere non vengono bombardati nel '43. In seguito, su dei foglietti azzurrini di carta pesante.

Lei usa una carta leggera un po' rigida che scricchiola lievemente al tatto, e scrive per lo più a matita, con una scrittura decisa, inclinata verso destra, un po' aguzza, datata, ma non di maniera, che negli anni rimane immutata.

Giuseppe non abbandona mai la penna stilografica, «ma bien aimée» come la chiama scherzosamente, una Parker dal segno un po' "grasso", a cui tiene moltissimo (durante la guerra, fra le tante disgrazie, gli capita di perderla e sono disperazioni grandissime, anche se poi, per fortuna, potrà ritrovarla).

Ha un tratto fluido, piacevole e sornione, molto personale, che tende facilmente, se trascurato, a tradurre gli umori più interni allargandosi o scompigliando le righe come un'occhiata data in tralice.

Tutti e due sembrano scrivere di getto, senza brutta copia e senza ripensamenti, e sia nelle lettere dell'una che in quelle dell'altro sono rarissime le cancellature e le correzioni. Come succede in una conversazione fra gente di mondo, fluida, per nulla affettata, senza imbarazzi e pudori, dove è tacita regola non lasciare mai vuoti e smussare i toni troppo acuti.

Nelle lettere di lei, a differenza che in quelle di lui, serpeggia spesso un sentimento trattenuto, a volte quasi un furore represso, che l'educazione e l'ansia impediscono di sfogare totalmente per iscritto ma che doveva sicuramente trovare più vivaci e dirette parole in un rapporto di persona.

Alessandra, descritta da chi l'ha incontrata come «donna d'animo pugnace», rampogna il marito, specie nei primi anni, ogni volta che si presenta un problema, lo rimprovera, lo urge: «[...] spiegami bene, chiaramente [...]», «Je t'écris pour te prier instantanément de me donner des nouvelles sur la situation et sur les retentissements que cela peut avoir sur toi», «Ecris après réflexion, car ce que tu diras "goes", comme je ne peux pas me former moi-même une idée nette de la situation», «Aujourd'hui, après un long silence, j'ai eu de toi une lettre de seulement une feuille. Il me semble que vraiment tu aurais pu m'écrire un peu plus en détail».*

«Donne plus de détails», «Et je te prie, pas de réponses en trois lignes».** Licy chiede notizie più chiare, spiegazioni, lo incalza e lui sembra eludere ogni volta, rintanarsi, nicchiare: ma sempre, ed è qualcosa che negli anni rimane imperturbato (forse la chiave più profonda del loro rapporto), con uno straordinario rispetto reciproco. Un rispetto che sembra quasi travalicare le loro due persone, esulare dalle singole fisicità e provenire da spazi più vasti e remoti, come se a fronteggiarsi in realtà fossero due civiltà, enigmatiche e, certo, fin legger-

* «Ti scrivo per pregarti di darmi subito notizie sulla situazione e sulle conseguenze che tutto questo può avere per te»; «Scrivi dopo aver riflettuto perché tutto quello che dirai "corre", dato che io non posso farmi un'idea precisa della situazione»; «Oggi, dopo un lungo silenzio, ho ricevuto da te una lettera di un solo foglio. Mi sembra che in verità avresti potuto scrivermi un po' più in dettaglio».

** «Dammi maggiori particolari»; «E ti prego, niente risposte di tre righe».

mente incomprensibili reciprocamente, ma pur sempre supremamente autorevoli l'una per l'altra. Come se ad avvicinarli fosse quell'ombra scura delle foreste delle saghe germaniche che va a confondersi «con la luce degli inni omerici» e che sa rilegare «i mostri nordici dal volto impenetrabile con il sorriso estatico, nella riposata alterigia del loro portamento degli Dei bellissimi ed immortali».[17]

L'attrazione sottile, insomma, che spingeva irresistibilmente Goethe a visitare affascinato e stranito la villa del Principe di Palagonia e che apparenta *Lighea*, la sirena del senatore Rosario La Ciura, alle fantasticherie di von Arnim. E ha tanta forza questa suggestione che chi abbia avuto in sorte di leggere le lettere di Licy a Giuseppe, di penetrare, quindi, nell'intimità di lei senza mediazioni, e senza averla mai conosciuta di persona, può credere all'improvviso di essere riuscito a ricomporre il *puzzle* sterminato di aneddoti, di brandelli di notizie, di storia reale e di impressioni altrui, se paradossalmente usa per ricostruirne la figura, come forse del tutto abusiva sintesi, la descrizione che Lampedusa fa del suo amato don Fabrizio Salina: «I raggi del sole calante ma ancora alto di quel pomeriggio di maggio accendevano il colorito roseo, il pelame color di miele del Principe; denunziavano essi l'origine tedesca di sua madre, di quella principessa Carolina la cui alterigia aveva congelato, trent'anni prima, la Corte sciattona delle Due Sicilie. Ma nel sangue di lui fermentavano altre essenze germaniche ben più incomode per quell'aristocratico siciliano, nell'anno 1860, di quanto potessero essere attraenti la pelle bianchissima ed i capelli biondi nell'ambiente di olivastri e di corvini: *un temperamento autoritario, una certa rigidità morale, una propensione alle idee astratte che nell'habitat morale molliccio della società palermitana si erano mutati rispettivamente in prepotenza capricciosa, perpetui scrupoli morali e disprezzo per i suoi parenti ed amici, che gli sembrava andassero alla deriva nei meandri del lento fiume pragmatistico siciliano*».[18] Naturalmente questa suggestione vale per i lati caratteriologici e non per quelli fisici, a parte l'imponenza della figura. Alessandra aveva, infatti, bellissimi occhi e capelli neri.

E leggendo le lettere di Giuseppe? Se ne trova confermata, mi sembra, la distinzione che ha dato Philippe Renard parlando del *Gattopardo* rispetto a *Le Rouge et le Noir* di Stendhal: «Nel *Rouge* la scrittura insegue le battute, la conversazione dei due personaggi spiati da Mathilde, e dimentica lo scenario; nel *Gattopardo*, una volta di più è lo scenario che ha la meglio, uno scenario al momento della scrittura già scomparso ma che nella scrittura va salvato perché era il meglio della vita».[19]

Ecco, scorrendo tutte queste lettere di venti anni di vita, che sembrano essere l'unica prova letteraria di Giuseppe prima di quel fatidico scatto finale, si ha l'impressione di un uomo tutto indaffarato a "salvare lo scenario", o perlomeno a salvarne qualcosa fino al momento in cui, avendo definitivamente acquisito che lo scenario è perduto, si può mettere seduto al tavolino del caffè Mazzara. A scrivere quel «primo e meno importante evento» della sua vita che è *Il Gattopardo*.

Capitolo secondo

> Per secoli e secoli, quando sulle rive del Mediterraneo nascevano e si sgretolavano i regni e innumerevoli generazioni si tramandavano raffinati peccati e divertimenti, il mio paese natale era una foresta vergine, visitata lungo le coste soltanto da navi vichinghe. Esso era situato fuori dalle carte geografiche ed apparteneva al fiabesco.
>
> CZESŁAW MIŁOSZ, *La mia Europa*

Fine estate 1927. Lettonia: «Boschi, laghi, fiumi poderosi, senso di "condées franches" che si ha in quegli spazi grandissimi e quasi deserti, a paragone di questa vecchia Europa nella quale si è sempre pigiati come in un autobus troppo pieno». Riga: «[...] il viaggio è davvero comodo, si parte da Berlino alle 9.30. L'indomani alle sette si è a Riga, senza cambiare mai e senza noia di sorta, con eccellenti "Wagons lits" e "restaurants" [...]». Stomersee: da Riga, dopo essersi rinfrescati, c'è un'altra mezza giornata di viaggio, sempre laghi, acquitrini, foreste. Quando la foresta di Lettino diventa «la foresta degli Orsi», allora si è già nel territorio di Stomersee, e quando, diradati gli alberi, «i campi di avena si fanno più folti che in nessun altro luogo al mondo», si incomincia ad intravedere il villaggio. Prima si incontrano poche case, la fabbrica di formaggio, la grande chiesa ortodossa, poco dopo, il torrente, il mulino, qualche fattoria, un ponte, e quando la strada, tutta buche e bianca di polvere, fa una brusca svolta, ecco apparire improvvisamente il castello: «[...] con le immense pelouses, gli alberi bellissimi, la dolce discesa nel parco verso il lago. E gli immensi viali che si slanciano nella campagna». Tutto qui è vasto, silenzioso, importante. Giuseppe descrive Stomersee ed usa varie volte la parola "immenso".

Il castello dei Wolff ha due torri, quadrate, con gli smerli, ed è un "vero" castello, costruito in pietra chiara. I Wolff erano una di quelle famiglie borghesi tedesche che erano state fatte nobili e proprietarie terriere dallo zar Pietro il Grande in modo da costituire un solido legame tra la corte russa e le popolazioni tedesche insediate nel Baltico fin dall'epoca delle famose crociate del Nord. Durante la rivoluzione del 1905 i bolscevichi avevano distrutto il castello quasi interamente ma Boris Wolff, il padre di Alessandra, alto dignitario dello zar Nicola II, Provveditore agli Studi di un istituto dal quale uscivano i diplomatici di Corte, lo aveva fatto puntigliosamente ricostruire identico e, nel 1927, quando lo vede per la prima volta, Lampedusa ne rimane assai colpito: «[...] non riesco ad immaginare» scrive «come potesse essere più bello di così, ogni cosa è assai ben tenuta e curata e Stomersee è, per molti e molti chilometri, il solo "maniero" ritornato all'antico decoro o perlomeno mantenuto con quella signorilità che si deve».

D'estate, in luglio soprattutto, a Stomersee può fare molto caldo, si arriva, di giorno, a più di trenta gradi all'ombra: «[...] bien merci que les murs du château sont si gros que dedans il fait toujours frais» scriverà compiaciuta Licy durante una stagione particolarmente torrida. Le notti però sono sempre chiare «[...] et toujours très fraîches, presque froides, et parfumées de jasmin en fleur et de foin fraîchement coupé».* Subito dopo, già alla fine di agosto si annuncia l'inverno, con interminabili piogge e a settembre può fare umido e freddo. Comunque, Licy non teme il "suo" inverno: si chiude in casa con le stanze invase dai fiori: «Les dernières roses et les premiers chrysanthèmes», ed il loro profumo lieve esorcizza l'incalzare severo dell'autunno baltico quando «l'oscuro cerchio degli ontani si è fatto più folto e vicino».[1]

Proprio in settembre, e in un settembre straordinariamente mite, nel 1918, Licy si era sposata per la prima volta con un altro nobile baltico, il barone André Pilar von Pilchau. C'erano stati archi di trionfo di foglie e fiori lungo il viale d'ingresso, la funzione nella cappella di famiglia con tutta la gente del villaggio nell'abito tradizionale delle feste, un'orchestrina che suonava la marcia nuziale dal *Lohengrin*, fuochi d'artificio, una cena superba con champagne "à flots", poi, danze fino al mattino seguente: un matrimonio assolutamente *ancien régime*. *Ancien régime* che

* «[...] per fortuna i muri del castello sono così spessi che all'interno fa sempre fresco»; «[...] e sempre molto fresche, quasi fredde, e profumate di gelsomino in fiore e di fieno appena tagliato».

nel caso di Alessandra non definisce uno stile voluto ma, semplicemente, rappresenta, *in toto*, il suo mondo, le sue origini, la sua mentalità.

Nell'anno in cui Alessandra si sposa con André Pilar, la Lettonia, in base al trattato di Brest-Litovsk del 3 marzo 1918, viene praticamente ceduta alla Germania insieme agli altri Stati baltici, Lituania ed Estonia. Una delle clausole del trattato prevedeva che i proprietari baltici residenti in Russia potessero rientrare nelle loro terre, ed era stato infatti con il Convoglio Speciale del Comitato Baltico che Licy, la sorella Lolette e la madre (il padre, il barone Boris Wolff von Stomersee, era venuto a mancare nel marzo 1917), attraverso un faticosissimo viaggio, avevano potuto lasciare, appena sei mesi dopo la caduta del Palazzo d'Inverno, Pietroburgo, allora da poco Pietrogrado, la città in cui le due ragazze, a parte i frequenti viaggi in Europa, avevano vissuto più a lungo.

Il 1918 segna per la Lettonia l'inizio di un periodo complesso e convulso, che vede fondamentalmente lo sviluppo di uno scontro a tre: tra la Germania (che, nonostante la sconfitta, mira ancora a stabilire una sorta di protettorato sugli Stati baltici), il governo sovietico (che, dichiarato nullo il trattato di Brest-Litovsk, vuole riannettersi queste regioni) e gli indipendentisti lettoni antisovietici appoggiati, anche militarmente, dall'Inghilterra e dalla Francia. Il risultato di questo scontro è la firma, l'11 agosto del 1920, di un trattato lettone-sovietico che fa della Lettonia uno stato indipendente.

Quando la madre di Alessandra, rimasta vedova, si risposa e Lolette, la sorella di due anni più giovane, si stabilisce definitivamente in Italia sposando Augusto Biancheri, è Licy, che ha acquisito la cittadinanza lettone, a diventare l'esclusiva proprietaria del castello e delle terre di Stomersee.

E qui bisogna soffermarsi un attimo sulla mamma di Licy/Alessandra, perché è lei, infatti, l'originario anello di congiunzione con Giuseppe, essendone divenuta zia acquisita.

Si tratta di Alice Laura Barbi, famosissima cantante classica dell'epoca, anzi, la prima cantante italiana da concerto. Straordinariamente dotata, fu la più amata e celebrata mezzosoprano della fine del secolo. Di origine emiliana, era nata a Modena nel 1858. Aveva intrapreso prestissimo gli studi musicali: il violino e il pianoforte inizialmente, per poi concentrarsi sul canto. Nella biografia di Brahms scritta da Karl Geiringer, si ricorda che «fin dal principio del 1890, il maestro si era vivamente interessato alla contralto Alice Barbi, una cantante di classica bellezza e di finitezza artistica del tutto eccezionale [...]. La sua ammirazione per la cantante andò aumentando sempre di più e, parlando con gli amici, egli decantava i meriti dell'artista con un entusiasmo senza precedenti. Lui che oramai, come pianista, si produceva in pubblico solo in circostanze eccezionali, accompagnò tutto il programma del concerto d'addio che Alice Barbi diede prima del suo matrimonio con il barone Boris Wolff von Stomersee; ed anche, qualche anno più tardi, scriveva a Clara Schumann di aver rimandato la sua partenza per Ischl perché la cantante lo aveva trattenuto a Vienna».[2]

Il concerto di Vienna in cui la Barbi canta per l'ultima volta accompagnata al pianoforte da Brahms sigla, dunque, una carriera che era stata di grande successo, molto internazionale ma relativamente breve.

Nel 1893, infatti, questa appassionata e celebrata interprete di *lieder* sposa il barone

Wolff von Stomersee inverando una moda che vedeva spesso nobili baltici sposare delle cantanti italiane, e si trasferisce in Russia con il marito, a San Pietroburgo.

Dal matrimonio nascono, a Nizza, sulla Costa Azzurra dove la famiglia svernava ogni anno, Alessandra, nel giugno del 1894, e Olga, detta Lolette, due anni dopo. Nel diario privato di Lolette Biancheri, che descrive la vita della sua famiglia negli anni fra il 1916 e il 1918, vengono spesso ricordate le serate casalinghe in cui Alice cantava, accompagnata al pianoforte da una delle figlie.

Morto il barone Wolff, dopo alterne vicende, nel 1920, in seconde nozze, Alice sposa Pietro Paolo Tomasi, marchese della Torretta, fratello minore del padre di Giuseppe. Il marchese, arrivato in Russia nel 1917 come capo della delegazione commerciale italiana, viene rapidamente investito del titolo di ambasciatore a Pietrogrado (ex San Pietroburgo) durante la Rivoluzione d'Ottobre ed è con tale nomina che in seguito si trasferirà a Londra, dove, appunto, si sposa con Alice.

Quindi, Giuseppe e Licy diventano parenti acquisiti attraverso il matrimonio della madre di lei con lo zio di lui. Questo spiega come si fossero potuti conoscere pur provenendo dagli estremi opposti dell'Europa e perché nel 1927 Lampedusa si trovasse ad intraprendere il suo primo viaggio in Lettonia. Viaggio che vede Licy, in veste di padrona di casa, sullo sfondo di una situazione sociale allora rilassata e pacifica.

È, dunque, proprio ad Alice Barbi, "la zia Alice", che Giuseppe descrive il Castello di Stomersee, da cui lei manca già da tempo.

Stomersee, 27 agosto 1927

Carissima mia,

[...] nella casa in sé sono naturalmente avvenuti grandi cambiamenti dall'ultima volta che tu vi sei stata, e siccome io non conosco «l'arrangement» di prima mi sarà difficile spiegarteli. Il «hall» è, ad ogni modo, intatto, per un vero miracolo pare, né la scala né il rivestimento di legno furono danneggiati. *[Vale la pena ricordare che nel 1905 in Lettonia vi furono scontri violentissimi tra comunisti ed anti-comunisti. In quell'occasione il castello di Stomersee fu saccheggiato e parzialmente dato alle fiamme].* Ed è in questo «hall» che, di fatto, si abita. A sinistra (entrando nel «hall») vi è un salone con bei mobili e librerie. Da questo si entra in uno studio tondo che occupa il rigonfio di una torre. Dal primo salone, poi si passa in quella che era sala da musica e che adesso è sala da pranzo con le quattro finestre che danno sul giardino ed i delicatissimi stucchi Empire. È questa, una sala veramente imponente e di grande eleganza. Dietro ancora, quella che era la sala da pranzo è stata lasciata nell'originario stato di devastazione affinché «memoria del fatto ancor non langua». Sopra, a destra di chi salga la scala, sono le camere di Licy e André (ho visto lo studio di Licy con i bei mobili Louis XVI, la biblioteca psicoanalitica e il ritratto di Freud), a sinistra invece le stanze per gli ospiti [...]. Abbiamo molto pensato a te, allo zio e a Lolette e rimpianto che non foste anche voi lì [...] partirò domani per Dresda dove troverò notizie di Mamà. Cordiali saluti a Lolette e Biancheri [...].

In questa lettera dal Baltico sembrano esserci quasi tutti: Alessandra in veste di padrona di casa, gli altri soltanto nominati; André, il primo marito di Licy, la sorella Lolette con il marito Augusto Biancheri, la zia Alice, lo zio Pietro e, sullo sfondo, Mamà («[...] parto domani per Dresda dove troverò notizie di Mamà»). Tutti quelli che nel 1927 già compongono, e con sempre maggiore partecipazione comporranno negli anni, l'universo familiare ed affettivo di Giuseppe e di Giuseppe e Licy. Ma, soprattutto, c'è la presenza di quella casa che emerge poderosa, fuori dai boschi che la circondano, in fondo ai viali ben disegnati ed

Giuseppe e Licy nel parco di Stomersee.

Giuseppe e Licy sulla spiaggia del Baltico, estate 1931.

alle *pelouses* scintillanti, con le sue belle torri quadrate, chiara e rassicurante: il castello di Stomersee.

Riga, 24 agosto 1932

Mia Bonissima Bona, lo scrivo a Papà, lo scrivo a te, a voi due che siete quello a cui più tengo al mondo: in questo momento sono al colmo della felicità: Licy ha accettato di diventare mia moglie.

Bona mia adorata, tu che sempre mi couves des yeux *[mi divori con gli occhi]*, tu che con l'intuizione dell'affetto conosci sempre ogni mio pensiero, a te certo non sarà sfuggito in questi ultimi tempi, l'ingrandirsi ed il rafforzarsi di questo mio stato d'animo. Ma neppur tu puoi sapere, nessuno al mondo sa, come scrivo a Papà, quanto la mia vita è stata angustiata e dolorosa fino a che sono stato costretto a ricacciare in fondo al mio cuore tutto questo; ed è stato solamente il vostro affetto che, pur inconsapevolmente, mi sembrava essere diventato più tenero che mi ha aiutato a sorpassare questi anni nei quali la mia sofferenza sembrava senza via d'uscita.

Se lo sapeste potreste forse immaginare quale è in questo momento la mia felicità; felicità che è soltanto disturbata, e non lievemente, dal fatto di dovervi annunziare una mia così grande gioia per lettera e non abbracciandoti e carezzandoti come vorrei.

Se sapessi come vorrei essere vicino a voi ora, e quanto mi manca Papà, e tu, mia bonissima Bona! Non avrei veramente voluto che le circostanze ed il tempo mi avessero obbligato a questo annunzio per lettera che non lascia certo intravedere la mia emozione, la mia tenerezza e la mia gioia.

Ma come fare? Non volevo perdere un minuto per annunziarvi questo avvenimento centrale della mia vita.

Tu sai che cosa è Licy; conosci la sua bontà, la sua dirittura; forse saprai come essa dice di volermi bene; tu sai come ci capiamo in tutto e sempre; tu sai come essa sia la sola persona che possa darmi nella vita una gioia perenne.

So e capisco come questa notizia benché è impossibile che sia inattesa, vi giungerà però improvvisa; fatelo per me, per il vostro Giuseppe che vi adora: scrivetemi subito l'animo vostro, completate la nostra felicità, che è così grande, facendoci conoscere il vostro affetto. Mai, dai tempi più lontani della mia infanzia, mi ricordo di aver ricevuto un benché minimo rifiuto da voi: una vostra parola basterà a darci una felicità che vi commuoverebbe se la poteste vedere [...].

Riga, 29 agosto 1932

Mia Bonissima Bona, finora non ho ricevuto risposta alle lettere, così importanti, che ho inviato contemporaneamente a te e a Papà il 24 scorso.

Mamà mia bona, io avrei sperato in un vostro buon telegramma, in uno slancio d'affetto che, veramente, avrebbe messo il suggello alla mia felicità di ora.

Spero sempre, ogni giorno, di ricevere una vostra lettera: ve ne prego lasciatevi guidare dal cuore e dal vostro amore per me; ve ne prego pure abbiate fiducia nel buon senso e nella riflessività mia: questo mio non è stato un passo impulsivo: è stato il frutto di anni di maturazione silenziosa, di una conoscenza profonda, ora, del carattere e della qualità di Licy, che voi stessi conoscete quanto me; e se appare impulsivo: è solo per le circostanze particolarissime, per la stessa ritrosia di Licy ad ascoltare in passato la minima parola sul soggetto; non avrei potuto dire niente a nessuno prima, è evidente; e solo ora che per precisa nuova volontà di André lo scioglimento è stato reso pubblico ho potuto esprimere palesemente a Licy i miei sentimenti. Ve ne prego: io so quanto mi volete bene, so benissimo che i vostri pensieri sono tutti per me: ma vi prego non lasciatevi trasportare da un momento di stizza irragionevole che potrebbe non solo guastare la mia felicità attuale che è immensa (e che vi commuoverebbe se poteste vedermi) ma anche quella a venire, perché Licy che è buona sì, ma che è pienamente conscia di quel che vale, della sua inattaccabile condotta, sarebbe ferita senza rimedio da qualsiasi segno di dissenso e di ciò sono convinto porterei le conseguenze pur io (e anche un po' voi) nella mia futura vita coniugale. Vita futura che, debbo dire, si presenta anche ad un occhio innamorato come il mio, piena di promesse: Licy è bella, è un angelo di dolcezza e di bontà, ha attraversato una vita stranamente complessa con una dignità ed una purezza senza pari, è ricca: possiede di suo 60.000 lire all'anno assolutamente nette e libere, più Stomersee e ciò che le terre attorno rendono; è per la sua posizione sociale e la sua personalità una specie di regina di questi paesi; vuol vivere in Italia eccetto la più forte estate. Non voglio nemmeno insistere poi sul fatto che con nessuno mi sono capito e mi capirò come con lei, perché ciò lo sapete. Perciò ve ne prego riflettete prima di compromettere (niente può impedirlo) un avvenire così pieno di auguri con un moto d'impazienza.

Io capisco pienamente come sarete stati turbati e forse sconvolti da un mio annunzio così precipitoso: ma come, ve lo domando, fare altrimenti? E non trasformate ciò che sarebbe solo un inconveniente passeggero (e facilmente, se volete, nascondibile agli altri dicendo che sapevate tutto, ma veramente non lo avevate indovinato?) in una lunga e per me dolorosissima alternativa di rimproveri durante la quale sarei straziato di dover esser conteso fra lei e voi, le persone cui solo tengo al mondo, mentre in noi tutti vi è la possibilità e la stoffa di ricavare da ciò tanto bene.

E non dimenticate anche che ho 36 anni suonati, e che non sono un bambino o un cretino, che ho scelto secondo il mio cuore e la mia ragione, e che di più non si può pretendere [...].

Queste due lettere alla madre lasciano intravedere lo sfondo su cui si sviluppa il rapporto di amore tra Giuseppe e Licy e in cui avviene il loro matrimonio.

Di sfuggita intuiamo le pene di Giuseppe in attesa che Licy si liberi dal precedente rapporto con André e le difficoltà e le amarezze di una storia condotta sempre in silenzio. Ma, soprattutto, dalla circospezione quasi tremebonda della prima lettera e dalla vena di disperazione che traspare dalla seconda, risultano chiari due dati: e cioè la forza del legame che univa Giuseppe alla madre, e quindi l'importanza che egli annetteva al suo consenso, come elemento indispensabile della sua futura felicità coniugale, e il timore, anzi la previsione che questo consenso (per ragioni che ci rimangono ignote) non sarebbe giunto.

Questo aspetto viene confermato dal fatto che Lampedusa scrive ai suoi genitori (contemporaneamente la prima volta aveva scritto anche al padre, ma con assai meno trepidazione) come se il matrimonio dovesse ancora avvenire, e in una data non troppo ravvicinata («le ho chiesto ed essa ha acconsentito di diventare, in avvenire, mia moglie» scrive a don Giulio), mentre le nozze erano già state celebrate proprio nello stesso giorno in cui le due missive partono da Riga per Palermo, il 24 agosto.

Non sappiamo se l'approvazione che Giuseppe attendeva con tanta ansia sia alla fine arrivata e, in questo caso, in quale forma.

Certo è però che il rapporto matrimoniale tra Giuseppe e Licy portò a lungo (di fatto fino alla morte della madre, la possessiva e autoritaria donna Beatrice) l'impronta dei sentimenti, dei giudizi e dei pregiudizi, che le due lettere dell'estate del 1932 lasciano trapelare con evidenza. E che è su questa base che tale rapporto trova, dopo un periodo di tensione certamente acuta, il proprio equilibrio nell'insolita formula del "matrimonio epistolare", cementato più dall'assenza che dalla presenza, più dalla distanza che dalla vicinanza. Come una unione intensa, profonda, e sicuramente sincera, ma vissuta da due individualità che riconoscono la propria casa di origine, con tutto quello che "casa" significa in quanto ambiente, radici, cose e persone, come il polo fondamentale di una insostituibile ed inesauribile attrazione: e quindi da un lato il castello di Stomersee, dall'altro il Palazzo Lampedusa. E sono le lettere a fare da ponte e da *trait d'union.*

E non si trattava solo di "case", si trattava di due mondi profondamente diversi.

Negli anni Trenta a Palermo si vanno definitivamente spegnendo gli ultimi echi delle mondanità fiorite all'inizio del secolo attorno ai Whitaker, agli Ingham, ai Woodhouse (le leggendarie dinastie inglesi trapiantate in Sicilia), alla "divina" Franca Florio e a tutti i grandi borghesi che avevano ridato sangue e splendore alla tradizione delle casate nobiliari annidate ancora negli splendidi palazzi Trabia, Mazarino, Scalea, Gangi, Villafranca, Sant'Elia, Mirto, Niscemi, Cutò, Belmonte e così via.

Fino alla prima guerra mondiale la socialità del cosiddetto "bel mondo" palermitano si era coniugata strettamente con l'eccentricità, sempre autorevole, dei personaggi di passaggio, con un'estrema spregiudicatezza di costumi, grande sfarzo, uso a non stupirsi di nulla, oltre che acquisita dimestichezza con le culture europee attraverso lunghi soggiorni delle famiglie al completo a Londra, a Parigi, a St. Moritz o Vienna, luoghi deputati dello *smart set* internazionale.

Travolto tutto questo in modo definitivo dalla generale decadenza economica siciliana, subentra, nel periodo fra le due guerre, un isolamento provinciale ed una sorta di diffuso avvilimento.

Scrive Denis Mack Smith: «La storia della Sicilia nei ventuno anni del regime fascista è sorprendentemente scarna».[3] E "scarna" è anche la parola giusta per definire la vita di quei salotti dove ora, spenti i lampadari sontuosi, si riceve preferibilmente la sera, con le luci basse, perché non risaltino troppo le tappezzerie consunte e dove si tessono e ritessono, con l'amaro in bocca, antichi fasti e presenti ristrettezze.

Licy viene accolta con un *savoir faire* che probabilmente non aveva, come non aveva mai avuto, nulla a che vedere con un reale interesse per il nuovo.

Era l'omaggio dovuto all'ospite di rango le cui origini erano però comunque troppo astruse perché le si potesse trovare davvero interessanti.

A posteriori verrebbe da pensare che questa ancor giovane donna, alta, bruna, indubbiamente bella, ma imponente d'aspetto, imperiosa, dallo sguardo scrutatore e l'accento esotico, che conosceva la musica e la letteratura da grande intenditrice e che disquisiva di psicoanalisi e di complesso di Edipo, di patologie sessuali e perversioni, dovesse provocare almeno una certa curiosità, agitare le coscienze, suscitare reazioni controverse nell'ambiente in cui si andava per matrimonio a collocare.

Invece nulla di tutto questo.

In uno splendido e famosissimo racconto di Karen Blixen,[4] gli invitati ad una cena dai cibi assolutamente fuori del comune e mai sperimentati in precedenza, non riescono a rendersi conto minimamente della novità dell'esperienza e della perfezione della cuoca, perché vincolati da un giuramento che li obbliga a non parlare, per nessuna ragione, di quello che stanno assaporando. Allo stesso modo, la nobiltà palermitana, portata a viversi come una setta segreta, anestetizzata dall'uso di mondo e dal fatto che "troppe se ne erano viste nel passato e troppe ancora se ne sarebbero vedute", non si accorse più di tanto della personalità della nuova principessa Lampedusa: personaggio assai singolare per l'epoca. E singolare era infatti la vita di Licy che, fin da prima degli anni Venti, più o meno all'epoca del suo primo matrimonio, avendo sentito parlare da Karl Böhm, giovane ufficiale tedesco di stanza a Stomersee, degli interessi del fratello Felix, medico e psichiatra, per la psicoanalisi, si era accesa di curiosità per questa nuova scienza ed aveva voluto saperne di più. Era andata a Berlino all'Istituto di Psicoanalisi, allora diretto da Karl Abraham, e lì si era fermata quattro anni. Con Felix Böhm aveva fatto analisi personale, poi "analisi didattica" e "di controllo" con Max Eitingon ed Hans Liebermann, oltre che un breve tirocinio in ospedale psichiatrico.

Lasciata Berlino, si era trasferita a Vienna dove aveva iniziato le sue prime analisi e, come raccontava, aveva "visto" Freud. Aveva poi continuato, probabilmente, ad avere pazienti a Londra, dove intanto viveva la madre con il patrigno ambasciatore (lo zio di Giuseppe, Pietro Tomasi della Torretta), e a Riga dove, per il lavoro del suo primo marito, che si occupava di affari, si era fermata qualche tempo.

Ora, *les barons et les baronnes* palermitani non furono eccessivamente interessati alla sua storia e alla grande vitalità, alla novità di pensiero, all'apertura mentale che tutto questo sottendeva e videro Licy, né più né meno, come un'originale, un'eccentrica, di cui avere rispetto ma su cui sfornare, ogni tanto, un aneddoto gustoso e con cui intrattenere fondamentalmente blandi rapporti di reciproca incomprensione.

D'altra parte c'è da dire che Licy era, in effetti, un'originale e un'eccentrica, e nel senso più letterale del termine.

La stessa vaghezza che circonda gli anni della sua formazione (non si sa nulla di più preciso delle poche notizie appena riportate, lei non ne ha scritto nulla e ne ha raccontato pochissimo), se da un lato si inscrive in pieno in quell'aura di leggendarietà e di casualità che fa parte degli esordi avventurosi della psicoanalisi, dall'altro, però, corrisponde ad una concezione esistenziale elitaria, solitaria e segretiva, permeata da un senso acuto della decadenza. Tutte cose che costituivano, poi, il tessuto fondamentale del legame con Giuseppe.

«Un jeune seigneur heureusement né, n'est ni peintre, ni musicien, ni architecte, ni sculpteur, mais il fait fleurir tous ces arts en les encourageant par sa magnificence, et c'est en quoi on a raison de dire que les gens de qualité savent tout sans avoir rien appris»* dice Voltaire.[5]

Ora, venuta a mancare la "magnificenza", Giuseppe corteggiava la "scarnificazione" che, nei

* «Un giovane signore di buona nascita non è né pittore, né musicista, né architetto, né scultore ma fa fiorire tutte queste arti incoraggiandole con la sua magnificenza ed è per questo che si ha ragione nel dire che le persone di qualità tutto sanno senza aver imparato nulla».

momenti bui, s'impaludava nella depressione e nell'amarezza e, in quelli alti, si definiva in quella che Francesco Orlando chiama la sua «semplicità»: «Una semplicità beninteso trasferita su di un elevato piano dall'acume mentale e nutrita senza sforzo dalla ricchezza di nozioni; una semplicità da paragonare meglio di tutto a quella che di solito s'attribuisce, come segno d'eccellenza, all'arte di varie epoche che chiamiamo classica.

«Pareva che il suo modo di esprimersi sottintendesse, con spontanea costanza, una delle idee essenziali, appunto, al gusto del suo diletto e classico Seicento *Louis quatorze*: e cioè l'idea che la suprema eleganza e la suprema chiarezza richiedano l'abolizione di ogni termine tecnico e di ogni gergo di mestiere, di ogni pesantezza concettosa e di ogni sottigliezza inafferrabile [...]».[6]

Da parte sua, Licy, invece, era tutto meno che "semplice" e tendeva a sostituire la «magnificenza» a cui si riferisce Voltaire, con una certa pedanteria, con l'amore tutto tedesco per l'elucubrazione e il tecnicismo («ci vuole una tecnica per tutto» diceva) e una grande passione per l'*outré*. Tutti aspetti che, nei momenti migliori, si fondevano in una combinazione, rara ed affascinante, di serietà ed intuizione. «Grandiosa ed umile, insofferente e compassionevole, volontaria e di un'estrema delicatezza, da bambina la qualificavo "*eine zitternde Seele*" » scriveva di lei a Giuseppe nel 1936 la madre Alice, «un'anima sempre tremula, facile a commuoversi, sensibile al bello, al buono, soprattutto pietosa per gli umili ed i sofferenti [...] il suo amore, la sua parte di sangue slavo bolle, si mette in moto per le sofferenze degli umili, dei poveri, degli umiliati, ma ho spesso rimarcato che è insensibile ai dolori dei cosiddetti fortunati [...]». I «cosiddetti fortunati» cui Alice si riferisce erano però, fondamentalmente, coloro che costituivano "l'ambiente" di Alessandra. Ambiente a cui, per educazione e per convinzione, tenne, puntigliosamente e quasi ossessivamente, a far riferimento per tutta la vita.

Si può capire, quindi, che l'impatto tra il fervore slavo, a sfondo fortemente pedagogico e moralizzatore, di Alessandra e la «compiaciuta attesa del nulla» degli aristocratici siciliani producessero insolite alchimie destinate a sfociare, più che altro, in un progressivo isolamento della coppia Lampedusa, situazione che, d'altra parte, corrispondeva molto bene anche alla piega solitaria ed amara che aveva connotato la vita di Giuseppe.

Quando poi, subito dopo la guerra, Alessandra iniziò più stabilmente ad avere pazienti a Palermo, a tenere seminari e a dare consulti (dal '36 era diventata membro effettivo della SPI), di pari passo con la sempre maggiore autorevolezza, la sua stessa eccentricità prese una fisionomia più decisa ancorandosi, definitivamente, all'inane tentativo di segnalare, sempre e comunque, la propria origine aristocratica.

Così che, in definitiva, Alessandra fu amata, anzi amatissima, soprattutto da coloro che, essendo scevri totalmente da qualsiasi implicazione nostalgica, poterono cogliere intatto tutto il fascino che le proveniva dall'aver frequentato altri mondi, altre culture, altri usi. Ed è con questi che lei poté esercitare, allo stato puro, quella dote che contraddistingue il vero analista, di essere «tutti e nessuno allo stesso tempo».

Stomersee, 1937. In una sera di settembre, finito di cenare, Licy si sistema nel suo angolo preferito, in assoluta solitudine, nel piccolo salotto della torre dove rimane quasi tutto il giorno: «J'ai une couchette couverte de chintz et tous les jours je m'y tiens, à lire et à dessiner».*

È la fine di una giornata molto densa di lavoro perché ha in analisi la signora S. già da molto tempo. Ha passato l'ultima parte dell'inverno '37 a Riga e con la primavera si è trasferita a Stomersee. Giuseppe è venuto in agosto a tenerle un po' di compagnia e adesso è di nuovo a Palermo. Da lì le scrive in italiano: «Allora ti decidi a tornare?». Le ripete con pignoleria orari, coincidenze ferroviarie, raccomandazioni di tutti i tipi, alberghi e ristoranti da evitare a Berlino e piccole cose da acquistare che in Italia non si trovano: «[...] potrai fermarti qualche giorno da tua madre a Roma, per riposarti un poco e poi venire con calma a casa».

Ma lei, di ritornare a Palermo, non ha molta voglia. A Stomersee si trova bene come in nessun altro luogo al mondo (anni dopo, in piena guerra, il primo marito André Pilar, che la conosceva bene e a cui Licy era rimasta sempre molto legata da amicizia, scrivendo ad Alice Barbi a proposito della situazione dei paesi baltici e del futuro dei proprietari terrieri, in quel momento

* «Ho un divanetto rivestito di cinz e ci resto tutto il giorno a leggere e disegnare».

molto confuso, concludeva con queste parole: «[...] mais espérons que cela s'arrange et que Licy soit contente, seul Stomersee étant vraiment d'importance dans sa vie»).*

Stomersee, 25 settembre 1937

Mon ange chéri, Ton Petit ti scrive la sera seduta nel suo angolino dell'ultimo salone, subito dopo aver terminato l'analisi della S., che è durata, come sempre in questi ultimi tempi, cinque ore. È dunque poco se dico che sono a pezzi per la fatica. Ma se tu sapessi che intenso e profondo piacere io provo nel vedere quest'anima infelice rinascere, purificarsi, incominciare finalmente a fare i primi passi. Oggi vorrei chiedere il tuo parere. Ti ricorderai che nell'ultima lettera ti ho già scritto che lei è guarita.

E davvero la malattia è stata esplorata fin nei più oscuri meandri; la composizione dei sintomi (paura della morte e mania di omicidio e di suicidio) analizzata, la loro provenienza seguita e ritrovata fin alla più lontana infanzia, molto prima del complesso di Edipo, fino all'attaccamento primordiale alla madre. Tutte le reazioni di paura, violenza, desiderio di morte, disgusto, terrore, piacere masochistico sono state rintracciate e portate a livello di coscienza.

Ora lei si rende conto di tutto e trova da sola gli anelli della catena che mancano. Si può dire che è gua-

* «[...] ma speriamo che tutto questo si sistemi e che Licy sia contenta perché solo Stomersee è veramente importante nella sua vita».

rita, o meglio che *dovrebbe* essere guarita. E davvero, nel complesso, si sente bene: dorme da sola, accudisce alle sue cose, ama teneramente Baby, s'interessa alla vita. Poi però di tanto in tanto, per un niente, ripiomba nella paura animale della morte, e la malattia parla nuovamente il linguaggio severo e freddo che usava sua madre con lei quando aveva quattro anni.

A questo, a questa malattia o «deragliamento della coscienza» (poiché è la sua coscienza che è ancora ammalata, e la coscienza si forma sotto l'influenza dei genitori, ad un'età molto piccola), la psicoanalisi non ha rimedio. Weiss mi ha detto: «Non abbiamo una tecnica per la guarigione definitiva della nevrosi da coazione. Il "Super Io" (la coscienza) resta spesso malato e l'autorità dell'analista, anche del migliore, non basta, una volta terminato il trattamento». In effetti già allora avevo pensato: come fare per trovare una sublimazione tanto forte da sostituirsi all'autorità dei genitori, che oramai da anni ed anni ha formato il carattere? Dove trovare questa leva in grado di annullare il peso dei tratti nevrotici? È vero che l'autorità dell'analista non è sufficiente, o è sufficiente soltanto per un breve periodo. Bisognerebbe (pensavo) che il malato facesse uno sforzo per rigenerarsi, in nome dell'amore di qualcuno che potesse mettere al di sopra dei genitori.

L'amore terrestre è pieno di pericoli, ma che cosa dire dell'amore divino? Questa sublimazione non può essere altro che la religione e la religione non è niente altro che sublimazione dell'amore infantile per il padre, che si trasferisce nel «Padre che è nei cieli». Intendiamoci, tutto questo ha solo un valore terapeutico, una volta terminata completamente la cura e ristabilita la salute. Il «batiouchkismo» *[dal poeta russo Konstantin Batiouchkov la cui poesia è caratterizzata dalla ricerca di sonorità dolci e "italiane"]* come lo praticavo a Palermo non può servire che a tranquillizzare il malato, o a creargli delle inibizioni talvolta necessarie.

Quello che mi interessa è un'altra cosa. Non si tratta di sostituire la religione all'analisi, ma una volta terminata l'analisi, bisogna trovare un campo di attività senza pericolo per la coscienza malata, un'identificazione con un'autorità abbastanza forte per essere un sostegno, come delle stampelle per le gambe che abbiano subito una frattura.

Questo, io credo davvero di averlo trovato. E nota bene che non sto parlando di un vago sentimento religioso, fluttuante, quello a cui i sensi cedono così facilmente, ma della *formazione* della vita secondo il Vangelo.

Mimì, avresti dovuto vedere questa infelice negli ultimi giorni. Fa l'effetto di una pianta che si tende con tutte le sue forze verso una pioggia benefica.

Alle minime parole di Gesù Cristo che le dico (e per fortuna conosco tutto questo a memoria) vedo un musetto fremente, proteso verso di me, con gli occhi supplichevoli e pieni di lacrime. Dopo la resurrezione di Lazzaro, lei comprende che può rimanere, crede di avere il diritto di vivere dopo la parabola del figliol prodigo. Io leggo i comandamenti di Cristo, lei piange e si sente rinascere. Oggi mi dice: «Mio Dio, adesso sento che questo è quello che mi mancava. Io non ero più malata, non avevo più paura, non credevo più ai miei incubi nevrotici, ma la mia anima era vuota; e adesso, per la prima volta nella mia vita, sento la terra sotto i miei piedi».

Fino ad ora lei fuggiva la Chiesa perché le dava rimorsi e questo fino agli ultimi giorni. È solo dopo che le ultime idee omicide sono divenute coscienti e hanno preso forza, che lei è divenuta accessibile ad una nuova autorità, benefica, questa volta, e che insegna l'amore.

Comprendo adesso molto bene l'influenza che può avere la religione: influenza la coscienza, e quando questa non è troppo malata, o per lo meno è malata soltanto per delle ragioni coscienti, di "peccati" che il penitente conosce, solo allora può assorbirla. Una volta terminata l'analisi, il paziente è proprio nella stessa situazione, gli impulsi omicidi e la vita sessuale piena di "peccato" è divenuta cosciente, ed il paziente sa che cosa ha fatto ma non ha il coraggio, né la forza di permettersi di guarire (se era di natura forte e coraggioso, non si sarebbe ammalato), gli ci vuole l'autorità che possa assolverlo, che gli insegni nello stesso tempo a incatenare le passioni, a sostituire poco a poco il perdono all'odio. E dove trovare questo meglio che in Gesù Cristo?

Che cosa pensi di tutto questo, Mimì? Non so se mi sono bene spiegata. Sarei triste se tu pensassi che io voglio sostituire la religione con l'analisi! E anche non credo per nulla che il paziente deve essere russo per provare tutto questo; deve soltanto essere malato.

Anche Voltaire si è convertito per paura della morte [...]. Non vedo Freud o Weiss o Servadio leggere il Vangelo. E che fare con i pazienti ebrei, indù e giapponesi, che ce ne sono tanti?

Mio Dio, se tu sapessi come sono stanca. Questo ultimo genere di trattamento a cui non sono per niente abituata, agisce sulla mia emotività in conseguenza (ci vuole una tecnica per tutto) e mi ruba tutte le forze.

La proiezione negativa ha continuato fino all'ultimo giorno, lei voleva la mia morte [...].

Alessandra, seduta nel suo angolo preferito del castello, scrive al marito questa meditata e lunghissima lettera serale, come sempre a matita.

Il suo stile risente fortemente delle tante letture di trattati psicoanalitici: è grave, lievemente ampolloso ed ha la stessa cadenza del parlare che spesso intimidisce chi la incontra.

Più che una lettera (e questa non è che la prima parte) è una lunga elucubrazione intorno ad un tema su cui da tempo si arrovella: il rapporto tra religione e psicoanalisi in vista della fine di un trattamento psicoanalitico.

Sono già molti anni che lei studia con grandissimo impegno: «[...] ogni momento cambio parere sull'angoscia, il suicidio, il succedersi dei sintomi, mi martello lo spirito per adattare il caso alla teoria, vorrei mettervi del mio».

Chiede il parere di Giuseppe su questo caso ed è probabile che Giuseppe non le risponda. In questa fase del loro rapporto epistolare, come si può intuire da accenni che ricorrono nelle uniche lettere conservate di questo periodo, quelle di lei, lui sembra assomigliare a Marpa, il grande maestro tibetano di Milarepa, che non rispondeva mai alle richieste del discepolo e comunque mai direttamente. E poi, in quello scorcio d'estate, è affascinato soprattutto dalla lettura del *Simposio* ed è fondamentalmente distratto, preso dai suoi problemi palermitani, elusivo.

Verranno anni (durante la guerra) in cui le parti si capovolgeranno.

Il caso della signora S. occupa Licy già da vari anni: era stato presentato da Alessandra Tomasi a Weiss nel 1936 valendole l'ammissione nella SPI. Tratta di una delle governanti del castello di Stomersee, la signora S. appunto, afflitta da una grave depressione e da improvvise pulsioni omicide. Terrorizzata da qualche cosa di cui non comprende bene la natura ma che la domina completamente vuole lasciare la famiglia e scappare, non sa che il marito sta preparando le carte per farla internare in un manicomio. È a questo punto che interviene Alessandra e questo costituirà uno dei casi più importanti di quegli anni.

Nel 1935, quando inizia il trattamento, Licy decide di lasciare la sua paziente il meno possibile e di restare a Stomersee fin quasi al Natale. Tutti i pomeriggi, dunque, si chiudono nello studio della torre al primo piano. Fuori piove, il tempo è uggioso, poi via via che la stagione avanza, incomincia a nevicare: in casa il freddo è tremendo.

Nella grande stanza esagonale c'è una luce soffusa che proviene in parte dal camino, in parte da una lampada posta sul tavolo, accanto alla finestra. È il tavolo dove Licy d'inverno studia: vi sono sparsi i testi di Freud, una montagna di fogli volanti, i suoi quaderni di appunti dalla copertina di cartone verde bottiglia, fitti di note in tedesco e in russo, «mes cahiers de psycoan», la foto di Giuseppe, quella di suo padre e un vaso di cristallo con dei crisantemi a sfiorire dolcemente.

La signora S. è sdraiata sul lettino, sepolta sotto una montagna di coperte, mentre l'analista

sta seduta poco distante nella grande poltrona *Louis XVI*: ha la pelliccia di lontra con il bavero rialzato, i guanti di lana e uno scialle spesso ad avvolgerle le gambe. Fra di loro, in mezzo alla stanza, di fronte al camino, al centro del tappeto, dorme beato l'amato bracchetto Hobby. La signora S. parla, parla, poi tace, poi piange sommessamente, ogni tanto butta all'aria tutte le coperte, fa un balzo in piedi e scappa fuori. Si rifugia nella vicina stanza degli ospiti «da dove si sentono i suoi singhiozzi ed una sorta di mugolio basso e dolce come un urlo trattenuto». Licy non si muove, Hobby solleva di scatto le orecchie ma non abbaia, sulla porta compare Hanna, la governante, con il viso pieno di furore e brontola in russo che non è possibile essere così maleducati e così incapaci di autocontrollo e che non capisce proprio perché la signora abbia tanta pazienza e dia tanta retta a quella stravagante. «Impossibile farle comprendere che sarebbe un disastro se lei si trattenesse e che l'analisi esiste proprio per questo» commenta Licy.

Poco dopo la signora S. ritorna, ha gli occhi rossi e il fazzoletto stretto nel pugno, si riaccomoda sul divano, si riassetta le coperte e l'analisi riprende. Ogni giorno dura dalle quattro alle cinque ore: «Puoi capire, Mimì, che alla fine sono sfinita».

Piano piano, pomeriggio dopo pomeriggio, la signora S. incomincia a ricordare:

> [...] oggi ha capito il desiderio incestuoso che si nasconde dietro il suo impulso di gettarsi dalla finestra. Questa era la sua ossessione più tenace e ritornava sempre. Lei ne era terrorizzata e poi finalmente ha capito che era un desiderio che la prendeva quando era in braccio a suo padre. Veramente se lei non se ne fosse ricordata con tutti i dettagli non ci avrei creduto. Da due notti dorme da sola senza nessuno spavento, cosa che non le era mai riuscita di fare in vita sua.

Licy si appassiona a questa analisi e racconta a Giuseppe i progressi fatti, le incertezze, i momenti di stasi.

La signora S. non vuole più abbandonarla: «[...] è una paziente molto adatta per l'analisi. Ha voglia di restare con me il maggior tempo possibile e mi ha detto che, se potesse, verrebbe con me in Italia».

L'Italia, Giuseppe: c'è uno stacco necessario. Almeno per le feste bisogna ritornare al Sud, prima a Roma, poi a Palermo.

Licy riappare a Stomersee in primavera. L'analisi riprende. D'estate si trasferisce sulle rive del lago. Viene stesa una grande coperta sul prato, dalle cinque alle nove del pomeriggio. Con l'imbrunire l'aria rinfresca e si fa pungente. Licy rabbrividisce sotto lo scialle ma non può smettere: «[...] on a beau connaître la chose et s'attendre à cela, c'est toujours un moment saisissant quand on est enfin parvenu, après des mois de travail, au point quand ces reptiles de l'âme humaine, inceste et meurtre, lèvent leur tête et se dressent dans l'ombre».* Queste sedute lacustri la impressionano tanto che poi la notte «[...] io che non ho paura di niente, ho paura dei fantasmi». Analisi, analisi, analisi. Stomersee negli anni Trenta, per Licy è questo: «Far analisi e poter stare tranquilla a casa mia».

E proprio questo era mancato al loro matrimonio, in quegli anni in cui ancora viveva la madre di Giuseppe: stare tranquilli a casa propria.

* «[...] si ha un bel conoscere le cose e farvi attenzione, è sempre un momento sorprendente quando alla fine si riesce ad arrivare, dopo mesi di lavoro, al punto in cui queste serpi dell'animo umano, incesto e assassinio, alzano la testa e si rivelano nell'ombra».

«Il suo ideale sarebbe» scriveva a Lampedusa la Barbi nel '36 «di vivere teco in poche stanze, sue, tue, da *padrona assoluta*, e tante volte, senza mai entrare in lagni o dettagli, ha detto quanto sarebbe felice di stare a Torretta, o all'Occhio, o in un piccolo appartamento nella casa vicino alla Trinacria, accomodandoselo a suo gusto; e godere della libertà con te! [...] voglio aggiungere che mai Licy ha pensato che tu dovessi vivere a Stomersee, forse che tu continuassi ad andarvi di tanto in tanto, e ad amarlo come prima [...]».

Se il desiderio di Licy era stato quello di vivere in pace con Giuseppe, da soli, Giuseppe non era mai riuscito a concepire di potersi staccare da sua madre, e di poter abitare sotto un tetto che non fosse quello della sua infanzia. Solo una volta aveva sentito che quella casa dove era nato e dove era lieto «di essere sicuro di morire» era in effetti molto, troppo, popolata di sguardi non sempre benevoli.

«[...] et même lorsque nous sommes ensemble est-ce une vraie vie d'amour que nous menons, guettés par tous les pères, toutes les mères, tous les cockers, portiers, connaissances, carabiniers de l'univers?».* Ma queste parole lui le aveva scritte e sentite sinceramente in un momento molto particolare della sua vita: nell'aprile del 1932 (come sappiamo si sarebbero sposati nell'agosto seguente), dopo che Alessandra aveva passato qualche giorno a Palermo per Pasqua. Erano state giornate decisive per il loro amore.

Partita Licy, Giuseppe le aveva inviato lettere tenerissime e molto appassionate. Sono delle "lettere d'amore" nel senso più classico del termine. Lettere belle, piene di sentimento, letterarie, compiaciute. Sono ripetitive, verbose, leggermente noiose per chi le legga da estraneo, ed è forse il modo con cui l'amore difende la propria intimità. Risentono nello stile (sono in francese naturalmente) della lettura di Proust che avevano centellinato insieme proprio in quei giorni ed inseguono quel tono "lento e sfogliato" che li aveva rapiti nella *Recherche*.

Lei parte e per Giuseppe le giornate «ont recommencé à s'écouler toutes égales, l'une derrière l'autre, grises, bêtes et lentes comme

* «[...] e anche quando siamo insieme, ti pare una vita amorosa quella che conduciamo, sorvegliati da tutti i padri, tutte le madri, tutti i cocker, portieri, conoscenti, carabinieri dell'universo?».

des brebis».* Lui conta e riconta, «come un avaro», tutto il suo patrimonio di ricordi in comune, mentre il suo cuore è come «une grosse éponge trempée longtemps dans l'eau et qu'il suffit de presser légèrement du doigt pour en faire gicler toute une masse de tendresse et de souvenirs».**

«Murili, quando?» ogni tanto le domanda, e una volta le descrive le sue giornate (in italiano).

Palermo, 18 maggio 1932

[...] Mi alzo alle nove e dieci, come sempre (l'ora in cui facevo suonare la campana a Stomersee). Pietro mi porta la prima colazione: caffè e latte, pane, burro e riparte per prepararmi scarpe e vestiti. Io mangio, leggendo il giornale. Toilette. Alle dieci e mezza scendo alla Contabilità, una serie di camere che tu non hai mai visto in fondo alla Corte.

È là che sta mio Padre intento a pagare e a farsi pagare ed è là che mi vengono date le notizie della giornata. Verso mezzogiorno esco e vado alla Posta a ricevere o a non ricevere notizie da Muri, poi al Circolo dove in genere mi metto a scrivere, come in questo

* «Le giornate hanno ricominciato a scorrere tutte uguali, l'una dietro l'altra, grigie, ottuse e lente come delle pecore».

** «Una grossa spugna lasciata a lungo nell'acqua che basta premere leggermente con il dito per farne schizzare via tutta una massa di tenerezza e di ricordi».

momento, a «Murili darling». All'una arriva mio Padre, s'informa delle novità della giornata e all'una e venti ce ne andiamo. Sulla strada di ritorno compriamo un po' di frutta, in questa stagione ciliege e albicocche. Pranzo tipo quello che tu già conosci.

Dopodiché rimaniamo nella biblioteca chiacchierando: di solito mia Madre si lamenta dei domestici o degli operai. Alle tre ritorno nelle mie stanze a leggere o prendere appunti fino alle sei. Alle sei esco con mia Madre, a piedi.

Percorriamo via Ingham, il Politeama, via Libertà e andiamo a prendere un cremolato di fragole e crema (molto buono). Dopo di che alle sette e un quarto deposito mia Madre a casa di sua sorella, cioè proprio di fronte alla gelateria, e vado al Circolo dove mi applico a scandalizzare le anime timorate con le mie opinioni audaci. Un malcapitato giovanotto ieri mi ha confessato di non essere riuscito a dormire la notte precedente per colpa delle sinistre profezie (molto fantasiose e dettagliate) che gli avevo fatto. Alle nove e mezza (incredibile!) cena. Biblioteca fino alle dieci e mezza, poi esco e vado a raggiungere Sciarra, il Filosofo ed i miei cugini, in un caffè o al club.

All'una rientro.

Questa scansione della vita di Giuseppe, così immediatamente evocativa di quella del giovane Castorp nel Sanatorio Internazionale Berghof della *Montagna incantata*, non era destinata a mutare. Nel corso degli anni ogni tanto, in una lettera a Licy, Lampedusa descrive una delle sue giornate e si vede allora come esse rimangano, fatte pochissime variazioni, incredibilmente eguali, come eguali rimangono i luoghi, le persone, le strade, le cose. E, comunque, quando una piccola variazione apparirà, sarà sempre per sottrazione: ad ogni morte, ad ogni perdita di persona cara (il padre prima, molti anni dopo la madre), la giornata di Giuseppe subisce un ulteriore "rattrappimento" fino alla scarnificazione massima degli ultimi anni quando vi saranno solo due tempi, la mattina e il primo pomeriggio, quello del caffè; il pomeriggio e la sera, la notte, quello della casa. «Ma vie se passe ici le plus monotonement du monde; le matin est comme toujours des courses chez l'oncle Ciccio, les téléphones, l'Intendenza di Finanza (pour les dommages de guerre) etc. [...] je rentre à 2 ½ et ne mets plus le nez dehors. Je ne vois personne. Le soir je me fais moi même le café au lait avec petits pains et marmelade. Je lis naturellement beaucoup [...]».*

* «La mia vita scorre qui nel modo più monotono del mondo: la mattina come sempre ci sono le visite allo zio Ciccio, i telefoni, l'Intendenza di Finanza (per danni di guerra) ecc., [...] poi rientro alle 2 ½ e non metto più il naso fuori. Non vedo nessuno. La sera mi faccio da solo il caffellatte con pane e marmellata. Naturalmente leggo molto [...]».

E questa era la "casa" per Giuseppe: uno stagno rassicurante in cui affondare o sguazzare con abbandono: era una casa "materna", in senso lato, come "materna" è la civiltà da cui proveniva. Una sorta di organizzazione agglutinante la cui legge non scritta è quella della complicità: sul mito che presiede al proprio passato, sulle presenti magagne, sullo scetticismo rispetto al futuro, con la diffidenza fino all'esclusione dell'estraneo.

Il riferimento sicuro, il garante tradizionale di questo ordine immobile è la madre, «colei che comprende tutto, perdona tutto, sopporta tutto». «La Grande Madre Mediterranea», è quella di cui parla lo psicoanalista junghiano Ernst Bernhard, riconoscibile nei miti di Demetra e Persefone, primitiva e inconscia, che quanto più vizia i suoi figli «tanto più li rende dipendenti da sé».[7]

Ma non solo: «Il peccato che non perdoniamo è quello di fare» dice don Fabrizio della Sicilia e in quella lucida amarezza del *Gattopardo* c'è tutto Lampedusa. Si può intuire allora come Licy, nelle cui vene scorreva sangue prussiano, avesse difficoltà ad inserirsi in questo sistema così strutturalmente venato di ambiguità e come, d'altra parte, Giuseppe non facesse nulla per renderle la vita più facile.

C'era poi un altro elemento. Se la Palermo degli anni Trenta era triste e devitalizzata, la Lettonia degli stessi anni era un osservatorio interessantissimo.

Stomersee, 25 settembre 1937

[...] e adesso bisogna che ti racconti la cosa straordinaria che mi è successa ieri. Mentre facevo colazione ho visto una compagnia di lettoni che si fotografavano davanti al castello. Uno di loro è entrato e ha domandato in russo di visitare la casa: poi sono entrati anche gli altri ed hanno dichiarato di essere sovietici, venuti per sorvegliare il trasporto del bestiame. Erano ben vestiti (tutto molto nuovo e pretenzioso) e molto ossequiosi, tranne uno, che aveva lo sguardo sfuggente e se ne stava da un lato. Un viso lungo a lama di coltello, i tratti puntuti ed una bocca umida e rossa, il tutto sotteso da uno sguardo sfuggente degli occhi freddi senza lenti. Ho notato che si è incupito quando ho mostrato le devastazioni e gli ho detto che erano stati i bolscevichi che le avevano fatte. Lui mi ha domandato soltanto la mia nazionalità e perché dicevo questo. C'è stata una piccola polemica, dopodiché sono partiti con le loro macchine per Schwanenburg.

La sera, alle sette, durante l'analisi, mi ha fatto chiamare al telefono (senza nominarsi) e mi ha detto alla

Giuseppe a Palazzo Lampedusa negli anni Trenta.

Giuseppe e il cane Crab sulla terrazza interna di Palazzo Lampedusa alla fine degli anni Trenta.

lettera: «sono il *mužik* di A. che avete visto oggi. Vorrei venire a trovarvi e spiegarvi qualche cosa a proposito della rivoluzione, e soprattutto capire quello che avete da dire perché vedo che siete intelligente. Posso venire solo molto tardi. Fino a che ora state alzata?».

Io gli ho detto di venire la sera stessa. Puoi immaginare se ero contenta di poter porre finalmente tutte le domande a cui non ho mai avuto risposta. Che fortuna inaspettata! E da che fonte poi! Quanto al fatto di autodefinirsi *mužik* sapevo che si trattava di una ridicola affettazione, poiché lui è medico, veterinario in capo di un distretto. In breve, ero contentissima. La S. gemeva letteralmente dalla paura, sosteneva che dovevo avere una pistola; e che ti avrebbe scritto una lettera perché tu mi proibissi di fare cose simili.

Ma, alle nove, visto che non era venuto nessuno, se ne è andata, ed anche io pensavo che non sarebbe più venuto.

È arrivato alle undici (e solo dopo ho capito perché così tardi) e la prima cosa, quando era ancora nel salone della radio, è stata di domandare nervosamente: «[...] non c'è nessuno qui? [...] Proprio nessuno? [...]». Poi è indietreggiato di tre passi e ha detto con disinvoltura: «Sapete, per questo genere di spedizioni notturne, bisogna sempre essere armati», tira fuori dalla tasca una pistola e si mette a soppesarla nel palmo della mano. Aveva paura di un agguato! Io mi sono messa a ridere e gli ho detto: «No, qui in Lettonia non ci sono banditi: queste precauzioni sono proprio inutili». «Non si sa mai». Ho capito più tardi perché aveva paura. Lui è l'amico intimo e il discepolo di Dzeržinskij, di Dzeržinskij *of all people*!!! Qualsiasi ufficiale si sarebbe sentito in dovere di abbatterlo come un cane.

In breve, eccoci installati nel saloncino di fronte a due bicchieri di tè. Io ho posto tutte le mie domande. Non ci sono state polemiche perché io avevo soprattutto interesse a sapere il maggior numero di cose possibili.

Ma era come leggere la Pravda. La cosa interessante era la formazione del suo carattere.

Privo di qualsiasi scrupolo o senso di pietà, lui trova ammirevole «di votare milioni di persone alla morte per arrivare a cambiare la psicologia del popolo», «noi li spezzeremo ma arriveremo ai nostri fini».

Un odio per la religione del tutto cosmico. I suoi figli si chiamano come il padre di Dzeržinskij. Gli ho domandato di spiegarmi il perché di queste continue condanne. Lui è persuaso che vi sono dovunque degli scontenti che vogliono screditare il potere attuale, e che questi malcontenti promettono dappertutto, cosa che non avevo ancora mai sentito, il ritorno al capitalismo. Mi ha detto questo *with great* riluttanza, dopo lunghi preamboli su quello che rischia (cosa che non mi è chiara. Che cosa rischia?). Mi ha anche raccontato una quantità di casi di avvelenamento del bestiame ed infiniti altri crimini commessi dagli adepti di questa organizzazione.

Con me, è stato perfetto (a parte il fatto di ripetere che è un *mužik*, quando suo padre è maestro di scuola). Quando mi ha domandato dell'Italia e gli ho detto che è bella, mi ha detto serio: «Non dite niente, lo vedo guardando i vostri occhi». Ammetterai che non era poi molto rischioso. A mezzanotte si è alzato di scatto, dicendo che doveva andare ad avvisare il suo autista; quando gli ho proposto di inviare qualcuno di casa è filato via nell'ingresso e fuori senz'altro, poi è tornato e si è spiegato: l'autista (anche lui sovietico) aveva l'ordine, se il suo padrone non fosse tornato in un'ora, di venirlo a cercare. Quindi, se Hanna fosse scesa per dirgli di aspettare, sarebbe penetrato in casa evidentemente con la pistola in mano. Bell'affare! Ma questo prova in che tipo di atmosfera vivano questi infelici. Era anche venuto così tardi per aspettare che i suoi colleghi andassero a dormire. E queste precauzioni sono prese da un uomo di partito, evidentemente benvisto. Non raccontare tutti questi dettagli, ti prego sono veramente troppo fuori dall'ordinario, dal normale fluire delle cose. Sono per te solo [...].

Il bolscevico, falso *mužik,* era dunque amico intimo del famigerato Feliks E. Dzeržinskij, che aveva fondato alla fine del 1917, subito dopo la Rivoluzione d'Ottobre, la polizia segreta sovietica, la Ceka.

Dzeržinskij però all'epoca dell'incontro raccontato da Licy nella sua lettera a Giuseppe era morto da più di dieci anni (ne descrive la tragica fine Isaac Deutscher: «I furiosi dibattiti della seduta del luglio 1926 del Comitato Centrale del Partito Comunista Bolscevico vennero esacerbati da un triste episodio. Dzeržinskij, nevrastenico e malato, pronunciò un lungo e veemente discorso contro i *leaders* dell'opposizione, specialmente Kameneev. Per due ore le sue acute grida misero a dura prova i timpani dei convenuti. Poi, scendendo dalla tribuna, l'oratore fu colpito da un attacco di cuore e morì nel corridoio davanti a tutto il Comitato Centrale»).[8]

Il giovane sovietico ritornò varie volte a Stomersee e divenne in qualche modo paziente di Alessandra, se pure per un'analisi un po' bislacca e comunque mal documentata. Usava, per provocazione, metterle i piedi con le scarpe infangate sul tavolo, rifiutando di stendersi sul divano di psicoanalisi, ma costituì per Alessandra una fonte preziosissima di conoscenza di quel mondo "dall'altra parte delle barricate" che, comunque, per lei rimase sempre tale.

Capitolo terzo

> Una lettera mi è sempre parsa l'immortalità, perché non è forse la mente da sola, senza compagno corporeo?
>
> EMILY DICKINSON, *Lettere*

24 agosto 1942 da Capo d'Orlando

Muri, ma très chère et très aimée Muri, je t'écris exprès aujourd'hui, le dixième anniversaire de notre mariage. Qui aurait dit alors que dans dix ans nous nous trouverions au beau milieu d'une guerre, que moi ce jour je t'écrirai sans savoir au juste où tu es, sachant seulement que tu est terriblement éloignée de moi et dans un pays bouleversé?

Parmi toutes les choses en mouvement et fluides il n'y a de solide et d'immuable que mon amour pour toi qui augmente avec la distance et s'affermit avec l'absence.*

* «Muri, mia carissima e amatissima Muri, ti scrivo apposta oggi, decimo anniversario del nostro matrimonio. Chi avrebbe mai detto allora che dopo dieci anni noi ci saremmo trovati nel bel mezzo di una guerra, che io in questo giorno ti avrei scritto senza sapere di preciso dove tu sia, sapendo solo che sei tremendamente lontana da me e in un paese sconvolto? Fra tutte le cose in movimento e fluide non c'è altro di solido e immutato che il mio amore per te che aumenta con la distanza e si consolida con l'assenza».

Dieci anni di matrimonio dunque, e lo scenario è cambiato completamente. Siamo in pieno evento bellico, Alessandra è a Riga: «Dove non è rimasto più nessuno che io conosca, mi fa un effetto terribile».

Giuseppe è a Palermo, e Palermo è di una cupezza insostenibile:

«Pas de nouvelles de toi, un temps qui continue à être incroyablement mauvais».

Le notizie di Licy sono intermittenti, non si capisce se non scrive perché troppo indaffarata o se le lettere non riescono ad arrivare a causa delle poste che non funzionano. Comunque sia, le missive che si sono conservate bastano a dare l'idea che essi stiano attraversando fasi assai differenti di vita.

Alessandra è di un frenetico attivismo nel disperato tentativo di riuscire a conservare un qualche rapporto con quella casa di Stomersee che per lei rappresenta una parte fondamentale della sua vita: «Si encore, mème sans y aller, je sais que tout est en ordre, je peux encore vivre, mais que ferais je dans le cas contraire?».*

* «Nessuna notizia da parte tua e un tempo che continua a essere incredibilmente brutto»; «E ancora, anche senza andarci, so che tutto vi è in ordine, posso ancora vivere, ma che farei nel caso contrario?».

Lui è depresso e si lascia andare nel mare della guerra come un naufrago alla deriva: unico punto di riferimento l'arrivo delle lettere di Licy.

«Si tu savais mon Pauvre Petit, combien je pense à toi et avec quelle tendresse! Mais quand je t'écris je dois chercher ce que te raconter; et ici la vie est tellement vide et fluide que le vide et le fluide se montrent même dans mon style», «[...] et puis toujours et souvent écrire à ton Petit, en lui racontant tout, craintes et espoirs. Ton Petit n'attend que cela et chaque après-midi en sortant je jette des regards de côté dans la loge de don Totò pour voir s'il y a des lettres, des regards qui fondraient le coeur si on les voyait».*

La guerra per Giuseppe, nei primi anni, attraverso le sue lettere, sembra essere un fondale improvvisamente calato per dare alla scena un uniforme senso di grigio.

* «Se tu sapessi, Povero Piccolo mio *[sic]*, quanto ti penso e con quale tenerezza! Ma quando ti scrivo devo cercare qualcosa da raccontarti; e qui la vita è talmente vuota e fluida che il vuoto e il fluido si trasferiscono anche nel mio stile»; «[...] e poi sempre e spesso scrivere al tuo Piccolo, raccontandogli tutto, paure e speranze. Il tuo Piccolo non aspetta altro e ogni pomeriggio uscendo butto degli sguardi di sguincio nella portineria di don Totò per vedere se ci sono delle lettere, sguardi che a vederli scioglierebbero il cuore».

È un'atmosfera più che un evento reale, un dispetto più che un fatto, di cui non vale la pena parlare. C'è un senso quasi di vergogna in lui per questa troppo esplicita «invereconda sconcezza» di cui tutti si occupano: «[...] j'entends dire ici de telles sottises qu'elles me retournent l'estomac et je passe une grande partie de mon temps dans la bibliothèque d'où je t'écris en ce moment. La sottise, l'ignorance et les caprices des gens sont au delà de ce qu'on peut s'imaginer».*

La guerra, se da un lato rendeva lecito, facendone un tema collettivo, quel perenne senso di precarietà che affliggeva tutta la classe sociale di Lampedusa, dall'altro, proprio per questo rimescolare tutto, appariva insostenibilmente volgare a qualcuno che, in quanto duca di Palma, non poteva fare a meno di sentirsi in qualche modo "speciale".

Essere "tutti nella stessa barca" poteva dare, a volte, a Giuseppe un senso quasi di vitalità o, perlomeno, gli faceva toccare con mano quella sorta di smemoratezza di se stessi che si

* «[...] sento dire delle tali idiozie da farmi rivoltare lo stomaco e passo la gran parte del mio tempo nella biblioteca da dove in questo momento ti scrivo. L'idiozia, l'ignoranza e i capricci della gente vanno al di là di quanto sia possibile immaginare».

accompagna al dover pensare a sopravvivere giorno per giorno, poteva rivelarsi un sostegno a quel costante sospetto di "non essere" che remotamente lo affliggeva, uno sgravamento dalla fatica e dall'imbarazzo di dover sempre giustificare il senso della sua vita: una guerra, come una malattia, vive per te e come singolo ti assolve per travolgerti nella più grande storia. A questo proposito ne scrive Nietzsche: «Ogni volta che sia per scoppiare una guerra, erompe ad un tempo, sebbene intimamente contenuta, pure dal cuore degli uomini più nobili, una gioia senza pari, onde essi come rapiti si scagliano incontro al nuovo pericolo della Morte perché essi credono d'avere finalmente trovato, nel sacrificio di se stessi per la Patria, il permesso da così lungo tempo atteso, di sfuggire alla loro meta. La guerra è per loro una deviazione verso il suicidio, ma una deviazione perpetrata con buona coscienza».[1] Accanto a tutto ciò, una sensibilità introversa e fatalista come la sua non poteva non vedere questo lungo momento come luogo supremo dell'impudicizia, come metafora fin troppo scoperta di quella frana inesorabile che andava spazzando via memorie, palazzi, cose e persone, rimescolando civiltà, squassando definitivamente sistemi che si erano creduti immutabili.

Che lo scenario sia questo si può intuire, in questo afasico carteggio, dal non detto, più che dal detto. Nei periodi in cui si trovano ad essere separati, tra il '40 e il '43, Giuseppe scrive a sua moglie quasi tutti i giorni. Non ha niente da dire e denuncia la fatica del cercare qualcosa da raccontarle.

Negli anni si è creata fra di loro una sorta di divisione delle parti. Come se fra i due solo a Licy toccasse in destino di avere a che fare con il mondo (il nazismo, il comunismo, la sopraffazione dei paesi baltici, ed in senso contingente, la psicoanalisi) e come se la lontananza e la collocazione geografica dessero dignità maggiore a questi temi di quanta non ne potessero avere le vicende, anche quelle belliche, di casa nostra. Come se "quella" guerra fosse più nobile di questa.

Così che Giuseppe, mentre chiede ansiosamente di sapere i dettagli di che cosa stia succedendo a Riga, non dice quasi niente di quello che sta succedendo a Palermo e in Italia. La sua parte è quella di chi segue sul muro con la punta delle dita il tracciato delle crepe:

«Life's but [...] a tale told by an idiot, full of sound and fury, signifying nothing», ripete spesso, contraendo la furia tremenda delle parole di Macbeth.

Dopo un breve richiamo alle armi nell'artiglieria di Palermo, Lampedusa viene congedato per una periostite ed è da quel momento che si rintana in casa, fino al dicembre del '42, quando con la madre sfolla a Capo d'Orlando.

Fra il '41 e il '42, dunque, si arrocca ancora nel Palazzo Lampedusa la maggior parte della giornata, ripiegando sulle piccole cose della vita come le sole accettabili e sicure: il cibo, i cani, la gestione della casa e degli inquilini, qualche lettura di cui non dà mai troppi particolari. Gli amici sono pochi: Bebbuzzo, Biciona, quelli del Circolo Bellini. Gli affetti sicuri sono ridotti quasi unicamente ai Piccolo. La madre, nelle lettere a Licy, viene nominata assai raramente.

Tutto l'inverno '41-42 scivola così in un uniforme impasto di tedio e di depressione senza scatti e ribellioni apparenti. L'unica occupazione sembra essere quella di scrivere lettere alla moglie: composte, ripetitive, di una noia sofferta ma accettata come inevitabile.

Così che rispetto al fervore teutonico di Licy, immersa "nelle cose del Baltico" con una passione che non conosce ostacoli, tanto più lui appare sfocato, apatico, fragile in fondo: «Tes lettres me terrorisent tout d'abord, ensuite je me reprends [...]» scrive, e i loro mondi, di nuovo, appaiono emblematicamente lontani. Eppure, anche in questi momenti, si percepisce che il loro legame ha una qualità non deperibile: che ognuno conserva, di fronte all'altro, una sua "aura", in qualche modo fatale.

Passano separati ben tre Natali: quello del '39, quello del '40 e l'ultimo del '41. La lontananza, resa ancora più dura dall'incertezza del futuro, sembra alimentare in tutti e due bisogni tortuosi di tenerezze e di conferme: «Pourquoi, mon Pauvre Petit Chou, me dire que tu m'embrasses plus tendrement que je ne le fais moi même?»* scrive Giuseppe riferendosi ad una frase di lei. In realtà la tenerezza di lui si va a concentrare tutta nella intestazione e nella conclusione di queste missive.

«Muri, my most excellent dear one», «Muri, mon ange chéri», «Mon cher petit Chou»,

* «Perché, mio Povero Tesoro, dirmi che mi abbracci più teneramente di quanto non lo faccia io?».

«Mury, my dearest and very best of dears», «Muri, my most excellent and dear one», «My most excellent dear and excellent one», «Mury, my dearest and very good one», «Mury, ma très chère et très aimée Mury», «Mury, my most sweet and delightful old dear», «Mury, my very best and most beloved dear», «Mury, my dearest and very good darling», «Muri, mon petit Chou à la crème», e alla fine quel costante: «Ton M. qui t'aime».

Muri, Mury è ovviamente un nomignolo di Alessandra che appare fin dalle primissime lettere di fidanzamento. Si tratta, con ogni verosimiglianza, di un piccolo segno del loro lessico intimo e familiare. Alessandra, che i nipoti, e chi l'ha conosciuta in seguito, chiameranno Licy, sembra aver avuto un nomignolo per ogni fase della sua vita.

Nell'infanzia quello più usato era stato forse "Missus" come appare dal diario privato della sorella Lolette Biancheri: «But yet the boredom of it, Missus, oh Missus, the boredom of it, Missus!» sospiravano le due ragazze parafrasando il sonetto di Shakespeare a proposito della tremenda noia del loro soggiorno in Finlandia nel '17. Poi venne "Muri" e da Muri doveva derivare, con ogni verosimiglianza, quell'assai più strampalato "Murichiettoni" che ritorna più volte nelle loro lettere. Probabilmente una commistione buffa tra il tenero Muri di lei e qualcosa di più terragno ed italiota e, in quanto tale, pertinente e riferito a Giuseppe.

C'è però da pensare che Giuseppe accettasse questa storpiatura con un qualche pudore se si firmava sempre «Ton M. qui t'aime» omettendo quindi di riscrivere per intero quel forse imbarazzante "Murichiettoni".

Se sull'origine di questi nomignoli non è possibile indagare più di tanto, non si può fare a meno di notare che mentre Alessandra scrive per anni lettere che immancabilmente iniziano con «Mon Ange Chéri» e finiscono con un «Ton Petit» (ognuno dei due si autodenominava presso l'altro «Ton Petit» al maschile e, allo stesso modo, designavano i cani, anche qui indipendentemente dal fatto che spesso si trattava di *chiennottes*), Giuseppe ha una grande varietà di intestazioni, sembra giocare con le parole come se fossero carezze, ma non va mai oltre, come una scatola aperta con delizia e poi subito richiusa. In queste missive in cui non appare mai un segno di intimità coniugale, e in cui il pudore vige sovrano, tutto l'affetto e la tenerezza si limitano a pochi accenni al principio, sottolineati da un cambiamento di lingua: quasi sempre l'inglese rispetto al francese nel testo. Modo che si ritrova, per esempio, nella famosa lettera di Giacomo Leopardi a Teresa Carniani Malvezzi del 18 aprile 1827: «Intanto amatemi, come certamente fate e credetemi your most faithful friend, or servant, or both, or what you like». Anche nelle rare lettere in italiano l'intestazione è in inglese, cosicché questa sembra davvero essere per lui la lingua elettiva della compromissione. È all'inglese che sono affidati i sentimenti, quasi che solo un'altra lingua potesse consentirli, e solo quella, non perché in grado di offrire termini più aderenti al significato che gli si vuole attribuire ma perché simbolicamente poetica ed evocativa. Come i bambini piccoli quando si acquattano dietro qualche cosa che non li nasconde per nulla e che, per il solo fatto di aver "pensato" di nascondersi, si "sentono" nascosti e per questo introvabili.

Nel racconto *I luoghi della mia prima infanzia* Lampedusa parla, ad un certo punto, della qualità straordinaria dei colori e della luce della sua infanzia: «[...] l'occhio penetrava nella prospettiva dei saloni che si stendevano l'uno dopo l'altro lungo la facciata. Qui cominciava per me la magia delle luci, che in una città a sole intenso come Palermo sono succose e variate secondo il tempo anche in strade strette. Esse erano talvolta diluite dai tendaggi di seta davanti ai balconi, talaltra invece esaltate dal loro battere su qualche doratura di cornicione o da qualche damasco giallo di seggiolone che le rifletteva; talora, specialmente in estate, i saloni erano oscuri, ma dalle persiane chiuse filtrava la sensazione della potenza luminosa che era fuori; talaltra, a seconda dell'ora, un solo raggio penetrava dritto come quello del Sinai, popolato da miriadi di granellini di polvere, e che andava ad eccitare il colore dei tappeti che era uniformemente rosso rubino in tutte le stanze. Un vero sortilegio di illuminazioni e di colori che mi ha incatenato l'anima per sempre. Talvolta, in qualche vecchio palazzo o in qualche chiesa, ritrovo questa qualità luminosa che mi struggerebbe l'anima se non fossi pronto a sfornare qualche wicked joke».[2]

Come dire che, per quest'anima "incatenata per sempre" alle trasparenze del pulviscolo nell'aria della sua infanzia, l'unico modo per sopportare l'emozione è di aggirarla attraverso l'ironia: usando un *wicked joke*, uno scherzo maligno, una battuta maliziosa. E tanto più forte è l'emozione, tanto più lo scherzo deve essere pronto e calibrato; deve avere cioè una carica tale da compensare quello spiazzamento del proprio io che un'improvvisa emozione riesce a provocare. Ora, il solo fatto di ammettere questo meccanismo inconscio porta Giuseppe ad usare, di nuovo, un termine inglese.

Tornando però al nostro carteggio e alla sua personale geografia linguistica, non si può non pensare ad un rapporto faticoso e contorto con la sfera dei sentimenti.

Giuseppe non scrive mai a Licy una parola di affetto e di abbandono se non nell'intestazione o nel congedo e, generalmente, in una lingua diversa da quella usata nel resto della lettera. Come se non fosse già sufficientemente rassicurante l'aver posto il loro rapporto su di un piano del tutto speciale attraverso l'uso del francese e ci fosse bisogno di una ulteriore *enclave* dove stilizzare i sentimenti, rendendoli aerei, ironici, eleganti e, quindi, finalmente accettabili.

Alessandra è, rispetto a Giuseppe, ancora più austera nell'esternare i propri sentimenti, quasi avara, salvo qualche ansiosa richiesta di assicurazioni. Ma proprio questa austerità e compostezza contribuiscono a dare a tutto il carteggio un'insolita fluidità che fa risaltare la qualità sottintesa della loro coniugalità. Qualità che si può riassumere in quella di una «specialissima educazione»: talmente speciale «[...] che poteva anche passare inavvertita davanti ad occhi ordinari, mentre doveva rivelarsi senza fallo a chi l'aveva avuta identica, quasi come all'adepto di una stessa setta segreta».[3]

In quell'inverno del '41-42 Giuseppe festeggia da solo l'ultimo dell'anno: un brindisi e poi subito a dormire. Unica consolazione delle sue ore, insieme alla «radio e ai bouquins», è il tenerissimo Crab, Craboutzko, Craboutkinsky: «mon ange chéri et Petit», tenero cocker nero dalle «pattes comme du velours».

Una delle cose che legarono Giuseppe e Licy fu senz'altro l'amore per i cani: cani amati, seguiti, vissuti come figli. Figli, ma non come questi unici ed insostituibili. I Lampedusa ebbero molti cani nel corso della loro vita e tutti (almeno così sembra) amati con lo stesso trasporto ed entusiasmo, come se ad entusiasmarli fosse, più in generale, una passione grandissima per la "canità" intesa in senso lato e quindi capace di riprodursi intatta ad ogni nuovo esemplare. L'unica specificità riservata era, ancora una volta, di tipo linguistico. Il fatto di dominare tranquillamente quattro lingue fa sì che a Crab i Lampedusa si rivolgessero in italiano, a Poppy in tedesco, al primo bracchetto che compare nelle lettere del '34 da Stomersee in russo e così via.

Questa attenzione così grande per i cani trova una sua prima ed evidente spiegazione nel tentativo di surrogare l'amore di un figlio che non avevano avuto e, più in generale, di ovviare al grande isolamento in cui, per circostanze e caratteri, furono più o meno confinati; ma rientra anche in una sorta di codice del "vivere aristocratico" che da sempre vede i cani e i cavalli attori fondamentali dello "scenario" in cui si muove un nobile di rango. E quindi l'amore per i cocker di Giuseppe e Licy si ascrive anche, come la scelta dello scriversi in francese, ad una sorta di cosmogonia nobiliare che ha consuetudini ataviche, vezzi ricorrenti, codici imperscrutabili.

Se questo è lo scenario, l'attenzione che i Lampedusa riservavano alle loro creature ha poi sempre una qualità tutta speciale: l'ironia. «Parlons à présent d'affaires sérieux, c'est à dire de chiennots. Notre Petit se porte admirablement et il t'envoie, j'en suis certain, toutes ses pensées, obscures, mais bonnes comme le pain».*

Questa benevolenza "misteriosa" ma sicura di Crab si reincarnerà tanti anni dopo in Bendicò, il cane del *Gattopardo*, che prende il nome dai due versi del Rigoletto: «Ah! Rido *ben di core* ché tai baie costan poco [...]» come ci racconta Francesco Orlando. «Vedi tu Bendicò, sei un po' come loro, come le stelle, felicemente incomprensibile, incapace di produrre angoscia [...]», frase che nasce dal più profondo del cuore di Giuseppe, con le sue chiusure, le sue paure, il suo orrore per l'esplicito, il suo senso della aristocraticità come rifiuto di ogni ostentazione.

* «Parliamo adesso di cose serie, cioè dei cagnetti. Il nostro Piccolo sta a meraviglia e ti manda, ne sono certo, tutti i suoi pensieri, misteriosi, ma buoni come il pane».

Bendicò "conosce" tutto questo; al punto da essere lui quello a cui toccherà riassumere, in quel mucchietto di polvere livida buttato in fondo al cortile, la «fine di tutto».

Bendicò incarna la "caninità" senza ombra di leziosità alcuna. Ha nel *Gattopardo* la parte che gli è dovuta, né più né meno, con quella sicurezza, mai esagerata ma partecipe, che solo la grande consuetudine con i cani può dare.

In questo senso l'alano di casa Salina ha una naturalezza più forte, per esempio, di quella, pur straordinaria, di Bauschan, il cane di Thomas Mann, che in qualche modo risente di essere il frutto di un esercizio di bravura: di una straordinaria capacità di osservazione applicata. Bendicò è un cane meridionale: appartiene, anche lui, ad una civiltà "materna", non "paterna", come quella tedesca di Bauschan; Crab, poi, che con Giuseppe attraversa i bombardamenti e tutta la guerra divorando pasta e broccoli è, ad un tempo, una madre, un figlio, un fratello, un amico benevolo.

Notre Chiennot se tient tout à fait en beauté, plus puppysh que jamais avec ses poils repoussés, fort et gras, mais à présent il est devenu nerveux pour les alarmes, se lève la nuit et se plaint tout doucement dans l'arrière fond de son gosier. Il faut que je le prenne dans mes bras, lui fasse des «mamours», que je l'avertisse que ce ne sont autre chose que des «cani cattivi» et alors il se calme [4-1-1941].*

Notre Petit mange admirablement et il est gras et gros. Quand je mange le matin de la pasta coi broccoli il en reçoit sa grosse part avec plus de pain.

Le soir il reçoit un reste de broccoli (ou de haricots ou de lentilles) avec du pain et de l'huile. Le samedi on lui achète de la viande qu'il dévore jusqu'au Lundi. De temps en temps de petits poissons [1-11-1941].**

Le Petit est nourri admirablement, je lui prépare de temps en temps trois rations de crème d'avoine ce qui lui fait de souper avec du pain et légumes ajoutés. Samedi-lundi il a sa viande de cheval, et puis toujours des chères ajoutées, pommes de terre, carottes, petits pois (en trite etc.). Je n'ai aucunement touché aux provisions excepté les pommes de terre [...]. Hier journée admirable, j'ai fait une longue

* «Il nostro Cagnetto è più bello che mai, e molto tenero con il suo pelo ricresciuto, forte e grasso, solo che adesso è diventato nervoso per via degli allarmi, la notte si alza e si lamenta piano piano dal profondo della gola. Bisogna che lo prenda in braccio, gli faccia delle "tenerezze", che lo avverta che non sono altro che "cani cattivi", e allora si calma» (4-1-1941).

** «Il nostro Piccolo mangia magnificamente ed è grasso e grosso. Quando la mattina mangio pasta e broccoli lui ne riceve una parte cospicua con una aggiunta di pane. La sera ha l'avanzo dei broccoli (o di fagioli o di lenticchie) con pane e olio. Il sabato gli viene comprata della carne che divora fino al lunedì. Ogni tanto ha qualche pesciolino» (1-11-1941).

promenade avec le Petit. Ce soir il aura un souper de lait chaud sucré et pain [24-11-1941].*

C'est demain le jour de naissance de notre bien aimé Craboutzko. Il recevra un énorme dîner: 150 gr. de pâte avec petits pois – 200 gr. de viande de cheval; tartines de pain avec les derniers restes de miel des Piccolo qui ont étés conservés exprès. Il restera une heure au jardin avec moi et il aura la permission d'aboyer contre les chats autant qu'il voudra [1-5-1942].**

Notre Petit Chou se porte comme un ange. Chaque jour sa bonté augmente. On commence mème à dire dans la maison qu'il est très intelligent. C'est peut-être vrai [8-12-1942].***

Sempre nell'inverno del '41-42 di tanto in tanto su Palermo si infittiscono i bombardamenti:

* «Il Piccolo è nutrito magnificamente, ogni tanto gli preparo tre razioni di crema d'avena che gli fanno da cena con pane e legumi mescolati. Sabato-lunedì ha la sua carne di cavallo, e poi sempre qualcosa di sfizioso, delle patate o carote o piselli (tritati, etc.). Non ho toccato per nulla le provviste, a parte le patate. Ieri giornata stupenda, ho fatto una lunga passeggiata con il Piccolo. Questa sera avrà una cena di latte caldo zuccherato e pane» (24-11-1941).

** «È domani il compleanno del nostro carissimo Craboutzko. Avrà una cena enorme: 150 gr. di pasta con i piselli – 200 gr. di carne di cavallo; tartine di pane con gli ultimi resti del miele dei Piccolo appositamente conservati. Starà un'ora in giardino con me ed avrà il permesso di abbaiare contro i gatti quanto vorrà» (1-5-1942).

*** «Il nostro Tesoro si comporta come un angelo. Ogni giorno la sua bontà aumenta. In casa si incomincia anche a dire che è molto intelligente. E forse è vero» (8-12-1942).

[...] comme tu auras lu sur les journaux (6-4-'42) nous avons eu ici un renouveau de sports aériens, toutes les vitres de la salle à manger, celles du salon vert et une partie de celles de la Galleria n'existent plus. Et nous avons été parmi les maisons moins touchées [...]. Mon pauvre Petit Chou, je suis vraiment et sincèrement déprimé.*

L'unica risorsa di questi giorni cupi è che arrivi un invito dai Piccolo a passare qualche giorno a Capo d'Orlando. «In questa villa ritrovo una traccia affievolita, certo, ma insormontabile della mia fanciullezza: e perciò mi piace tanto andarvi».

Lì: «bon accueil, bonne cuisine, ghost stories à satiété», gli amati cugini non si smentiscono mai ed ogni volta Giuseppe sembra rinascere.

Lucio, Casimiro e Giovanna-Agata. Che cosa siano i Piccolo di Calanovella, in queste lettere ovviamente non viene mai detto: è un mondo per Giuseppe così amato, familiare e sicuro che non c'è bisogno di parlarne più di tanto,

* «[...] come avrai letto sui giornali (6-4-'42) qui abbiamo avuto un rinnovarsi degli sport aerei, tutti i vetri della camera da pranzo, quelli del salone e parte di quelli della Galleria non esistono più. E siamo stati fra le case meno colpite [...]. Mio povero Amore, sono veramente e sinceramente depresso».

e d'altra parte proprio sui Piccolo si potrebbero scrivere volumi. Non solo su Lucio, il più conosciuto: poeta di liriche finissime, scoperto da Montale, che da Capo d'Orlando teneva corrispondenza con Yeats e con tutta l'*intelligencija* europea, ma anche su Casimiro, pittore di deliziose fantasticherie sul tema delle *rêveries* nordiche, ed Agata, dotata di straordinarie capacità medianiche.

Erano tutti e tre appassionati di teosofia e spiritismo e abbonati alle principali riviste di parapsicologia del mondo, oltre che soci della prima Società Teosofica Europea, quella fondata nel 1875 dall'inglese Henry S. Olcott.

Tutti e tre lievemente maniacali, ognuno a suo modo preda di insolite fobie, afflitti da fastidi infiniti, irrimediabilmente classisti. Dominati dalla madre, donna austera e dispotica, sorella di Beatrice Tasca, la mamma di Giuseppe e, come lei, dotata di indubbia personalità, vissero tutti insieme, quasi sempre a Capo d'Orlando.

Così, nel salotto di questa villa siciliana bollente d'estate e gelida d'inverno, senza nessuna indulgenza architettonica se non quella di una torretta da cui scrutare larghi spazi di campagna e poi la spiaggia, allora indenni («Propizia l'aria fra quelle mura / alte agli incanti: dalle finestre / adito, il giorno, a colli, pianura, / spazi prativi, erte ginestre [...]»)[4] nel salotto quadrato dalle volte alte, con le "chinoiseries" preziose nelle teche accanto ad agnellini stantii di pasta di mandorle, si intrecciavano discorsi su Paracelso e Böhme, Swedenborg e Agrippa di Nettesheim, metempsicosi e massoneria, piuttosto che appassionati dibattiti di critica letteraria e letture di Joyce e Proust e tutti i classici e molta, molta poesia, accanto a raffinate disquisizioni sull'arte di Escoffier. Anche qui, una padronanza assoluta delle lingue faceva sì che ogni testo fosse letto in lingua originale (Lucio leggeva il persiano come il greco e il latino), con sempre quella sfumatura nasale, densa e pigra della voce a tradire il siciliano di fondo e ad impastare tutti i suoni in maniera più o meno incomprensibile. Su tutto aleggiava quell'imperativo che il distratto e timidissimo Lucio di tanto in tanto amava ripetere: «Soprattutto essere un personaggio».

Ora, se tutto questo veniva vissuto nell'ambiente dei conoscenti, dei parenti e dei vicini di proprietà sotto l'aura della stramberia e della eccentricità allo stato puro, comunque fonte di aneddotica infinita, comunque perdonabili in quanto di razza e collegate ad un nome e ad un casato di rango indiscusso, per Giuseppe questa era principalmente e, molto profondamente, la sua famiglia.

Intanto i Piccolo gli erano parenti per parte di madre, e questo, data la reverenza che aveva per tutto ciò che fosse materno, glieli rendeva ancora più cari (il suo giudizio sui parenti Lampedusa si trova espresso in una lettera a Licy del 23 gennaio '42 in cui descrive una riunione di famiglia per discutere questioni di eredità: «Il y a donc des entrevues et des réunions partielles et générales avec tous les héritiers which are a smart remarkable assembly of people, one third fools, one third lunatics, and the rest of them rascals»).*

Poi (soprattutto Lucio, anche se di otto anni minore) rappresentavano, nella enorme solitudine intellettuale di Lampedusa, l'unico confronto accettabile per cultura ed interessi: «[...] i due affiatati e letterati cugini citavano spesso

* «Ci sono dunque degli incontri parziali e generali con tutti gli eredi che consistono in una rimarchevole assemblea di persone, per un terzo pazzi, per un altro terzo lunatici, e per il resto mascalzoni».

e volentieri versi in diverse lingue, con uno sfoggio di memoria che mi colpiva» ricorda Francesco Orlando.

Non che a Palermo mancassero personalità tali da tener testa al futuro autore del *Gattopardo* in una discussione letteraria, ma Lucio Piccolo non aveva solo il pregio di essere colto ma anche quello di appartenere alla sua stessa classe sociale. Come a dire che per Lampedusa l'unico raffronto possibile, l'unico che gli riuscisse accettabile, era quello sicuro dentro i confini del suo mondo familiare.

Anche i Piccolo, quindi, facevano parte, come Licy, di quella specialissima "setta segreta" che contemplava cultura ed aristocrazia come qualità inscindibili, unita indissolubilmente da un senso di decadenza delle cose e da un'infanzia aureolata come un Paradiso Terrestre.

Lucio e Giuseppe si chiamavano l'uno con l'altro scherzosamente "mostro". La dedica che Lucio Piccolo scrive sul frontespizio dei suoi *Canti Barocchi* nell'atto di regalarne copia al cugino, suona così: «Al mostro, / per bontà, ingegno dottrina / chiarissimo / quale doveroso, affettuoso omaggio / ed anche quale segno di protesta / contro la gioventù / vana, pretenziosa, impertinente / queste disadorne pagine / l'umile autore dedica. 29-4-'56 in C.d.O.».

E "mostri" sono i pensieri, le fantasie, le ansie che con il sorgere del sole si rintanano in "zone non coscienti" ma che durante la notte incombono sul Principe di Salina, "mostri" sono quelli che animano il giardino della Villa del Principe di Palagonia e non solo di quella, "mostri" si ritrovano nella fontana sulla via per Monreale, di "mostri" è intessuta quella fantasia morbosa che a suo tempo attrasse Goethe e gli ripugnò, e così Heine, von Arnim e il conte de Bosch, apparentando nel senso dell'orrore e dell'oscuro le fiabe siciliane e quelle nordiche. Così Lucio e Giuseppe, che con tutti quei mostri avevano affettuosa domestichezza per cultura e per inclinazione, dovevano essi stessi sentirsi toccati da una sorta di sorniona e un po' malinconica "mostritudine", in quel mondo fluido in cui così difficile risultava per loro trovare punti di riferimento accettabili.

Racconta Gioacchino Lanza Tomasi, il figlio adottivo di Giuseppe e Licy, del senso di imbarazzo infastidito da parte di quella «oligarchia stanca, soppiantata dall'emergere volitivo della borghesia contadina», che era l'aristocrazia palermitana dell'epoca, quando si seppe che Lampedusa aveva scritto *Il Gattopardo*: «Ricordo le mezze frasi colte fra i conoscenti di Tomasi di Lampedusa, quasi uno stupore di fronte all'impudicizia: cose note che meglio sarebbe stato abbandonare al sonno dei giusti; ancora principi, palazzi, ville e baroni, quando la striscia sanguigna di quelle passioni era composta nelle bare di S. Maria del Gesù, di Sant'Orsola, dei Cappuccini. Consapevole di aver mancato l'appuntamento con la vita, la generazione di Lampedusa voleva tenersi tutto per sé il ricordo di quello che contenevano le casse verdi.

«Gli eventi avevano reso impossibile l'amplesso, ma perché divulgare notizie su corredi preparati per corpi splendidi, desiosi, ed ahimè i corredi erano rimasti inutilizzati».[5]

Tutto questo ci riporta indietro, a quel risveglio di amor proprio, in seguito al successo dei cugini, che spinse Lampedusa, dall'oggi al domani, a scrivere *Il Gattopardo.* Solo dai Piccolo, in quanto parte integrante del suo mondo, poteva venirgli una simile spinta a rompere l'omertà di classe di cui parla Lanza Tomasi. L'aristocrazia siciliana non ha mai prodotto memoria di sé, anzi, di più: non ha mai "fatto letteratura". L'orgoglio del nobile isolano non gli ha mai consentito, in generale, di fare un mestiere (lo zio di Giuseppe, Pietro della Torretta, il diplomatico che fu anche Ministro degli Esteri tra il 1921 e il 1922 nel gabinetto Bonomi, si vantava di essere stato il primo della sua famiglia a lavorare) e tanto meno di fare della letteratura un mestiere, così che anche Lampedusa per tutta la sua vita frequenta la cultura ma non può concepire di metterla a frutto, poiché non concepisce di fare comunque un lavoro.

Riuscirà in questo doppio salto – utilizzare la memoria storica della sua casa e produrre qualcosa di compiuto – solo nel momento in cui vi è sferzato («avevo la certezza matematica di non essere più fesso di loro») da qualcuno che riconosce indubitabilmente come parte del suo mondo interno.

Solo il successo del cugino poteva pungere sul vivo Lampedusa. Nessun altro avrebbe, forse, avuto il potere simbolico capace di spingerlo a coagulare tutto quello che aveva dentro e ad infrangere la sua stessa omertà con se stesso.

Oltre alla letteratura, Lampedusa con i Piccolo condivideva molte altre cose.

Intanto l'amore per i cani: a Capo d'Orlando rimane ancora, in un angolo del giardino, un cimiterino quadrangolare, tutto recintato, in cui bianche lapidi, un po' più piccole del normale, ordinate in fila, ricordano Mamalouk, Pascià 1 e Pascià 2, Pim, Abdoul, Perolonano che era zoppo, Babalouk, sulla scia di una passione per il *Vathek* di Beckford e in generale per le fantasticherie orientali, e tante altre vite canine che ebbero a rincorrersi sotto quegli aranci a perdita d'occhio.

Dei cani si parlava molto, come si fa di amici o parenti, e non c'è quasi fotografia di Lucio e Giuseppe e di Casimiro ed Agata che non riveli ai piedi o in braccio un qualche bracchetto o spinone o cocker o quel che fosse.

Poi si facevano lunghissime discussioni sull'Aldilà, che i cugini Piccolo sognavano «identico a questa vita, completo di tutto», proprio come le signorine Salina nell'ultimo capitolo del *Gattopardo*: cosa su cui Giuseppe ironizzava

Giuseppe e Licy a Palermo negli anni Trenta.

Licy a Palazzo Agnello, ottobre 1955.

con gusto, raccontando a Francesco Orlando che «quelli» avrebbero saputo «redigere spiriticamente il Baedeker dell'Oltretomba».[6]

C'era inoltre il punzecchiarsi a vicenda, le gare a chi ricordava più versi a memoria, le battute cattivissime sul prossimo, le preoccupazioni per questi loro due casati che senza eredi rischiavano di estinguersi, un disprezzo, generale, per il mondo, e un amore, grandissimo, per il cibo.

Nei *Luoghi* si accenna al fatto che nella grande casa di Santa Margherita «vi era la "cucina delle bambine" con un focolare in miniatura ed una batteria da cucina in rame ad essa proporzionata, che mia nonna aveva fatto installare: nel vano tentativo di invogliare le figlie ad imparare la cucina»,[7] ma non si parla della cucina vera e propria, ambiente che appare invece uno dei *topoi* più classici del memorialismo privato. Anche nel *Gattopardo* l'unica cucina, colta nel pieno della sua funzione, è quella, modesta, della casa di padre Pirrone da cui esala «il secolare aroma del ragù, estratto di pomodoro, cipolle e carne di castrato, per gli "anelletti" dei giorni segnalati», mentre non c'è una parola su quelle stanze di casa Salina, in cui pure dovevano essere sfornate le sapientissime delizie del palato descritte con tanta perizia nel romanzo. È come se dall'incapacità della madre di cucinare, a cui Lampedusa accenna, gli fosse derivato un rapporto manchevole con il luogo e i momenti di quella manipolazione della materia che porta alla pietanza compiuta. A questa assenza fa riscontro però, e anzi lo enfatizza, un rapporto con l'opera finita che potremmo definire esemplare in tutta la letteratura italiana.

Il cibo sembra avere per Giuseppe una valenza sentimentale, simbolicamente densa, oltre che di "sapori", di allusivi "saperi", se ci si permette il gioco di parole, che entrano in circolo e si fanno carne e sangue e umori:

Le 5 avril 1942, Dimanche de Pâques

Mury my dearest and very good one, encore une fois tous mes souhaits les plus tendres pour Pâques. Que tout se passe comme tu le désires, et que tous tes vœux puissent être réalisés.

Je suis arrivé Vendredi soir à C.d.O. avec une lourde valise. Là bas j'ai été quatre jours, les deux premiers sous une pluie battante, les deux autres avec un temps parfait, plutôt d'été que de printemps.

Je suis arrivé là à 4h. de l'après-midi accueilli par d'énormes tasses de vrai chocolat avec crème fouettée et brioches. Ils ont un nouveau cuisinier, excellent, mais qui malheureusement partira dans quinze jours.

Je ne te donnerai que le menu d'un dîner mais qui est typique: Lasagne avec jus de viande, viande hachée et «ricotta». Vol-au-vent de pâte feuilletée avec langouste et laitances de poisson; côtelettes panées avec pommes de terre à la crème; petits pois au jambon; une admirable tarte sur recette d'Escoffier: pâte feuilletée, crème très légère et cerises confites. Le tout un peu chaud. Tout ceci dans les quantités habituelles!

J'ai fait de longues et belles promenades à pied, dans de charmantes petites vallées très brisées et pleines d'eaux courantes qui sont là derrière. Un paysage tout à fait grec, je veux dire de la Grèce pastorale, Arcadie etc., ce genre de choses. Figure-toi que dans le bois nous avons trouvé déjà les premières fraises, encore roses et vertes.*

* «5 aprile 1942, Domenica di Pasqua. Mury my dearest and very good one, ancora una volta i miei auguri più teneri per la Pasqua. Che tutto vada come lo desideri, e che i tuoi desideri possano essere realizzati.

«Sono arrivato Venerdì sera a C.d.O. *[Capo d'Orlando]* con una pesante valigia. Là mi sono fermato quattro giorni, i primi due sotto una pioggia incessante, gli altri due con un tempo perfetto, più estivo che primaverile.

«Sono arrivato là alle quattro del pomeriggio accolto da enormi tazze di vero cioccolato con panna montata e brioches. Hanno un nuovo cuoco, eccellente, ma che purtroppo partirà tra quindici giorni.

«Ti racconterò solo il menù di una cena, ma tipica: lasagne col sugo di carne, carne tritata e "ricotta". Vol-au-vent di pasta sfoglia con aragosta e latticello di pesce; cotolette panate con patate alla panna, piselli al prosciutto; una straordinaria torta su ricetta di Escoffier: pasta sfoglia, crema molto leggera e ciliegie candite. Il tutto appena tiepido. E tutto nelle quantità abituali!

«Ho fatto lunghe e belle passeggiate a piedi, in piccole affascinanti vallette tutte frastagliate e piene di ruscelletti che si trovano là dietro. Un paesaggio assolutamente greco, nel senso della Grecia pastorale, Arcadia ecc., questo genere di cose. Figurati che abbiamo addirittura trovato nel bosco di già le prime fragole, ancora rosa e verdi».

Nella lettera della Domenica di Pasqua del 1942 Capo d'Orlando appare raccontato in tutta la sua aura mitica. C'è una sorta di compenetrazione tra la natura, arcaica e pastorale, luogo di abbondanza, di acqua e di verde, e la sontuosità, opima ed elaborata, sfornata dall'arte sapiente del nuovo cuoco.

L'eccesso gastronomico di casa Piccolo libera Giuseppe all'elegia (se pure subito controllata da quel riduttivo «ce genre de choses»): Palermo è lontana con la sua noia incolore e stantia come le patate conservate nell'armadio, e il paesaggio sembra spontaneamente innalzarsi a luogo dell'età dell'oro.

Proprio come nelle fiabe irlandesi di quello Yeats tanto amato e sempre citato dai Piccolo: «Il cielo dimostrava chiaramente la condotta di vita della virtuosa coppia: durante il loro regno infatti la terra dava raccolti abbondanti, gli alberi frutta in quantità nove volte superiore al normale, i fiumi, i laghi ed il mare circostante pullulavano del pesce migliore, mentre mandrie e greggi erano eccezionalmente prolifiche e mucche e pecore producevano latte grasso in tale abbondanza che lo spandevano a torrenti sui pascoli».[8]

In effetti la vita nella grande casa a Capo d'Orlando durante la guerra sembra quella di un mitico e rustico Eden ed evoca, soprattutto nei primi anni, quella sorta di equivalenza allegorica tra atto alimentare e presa di possesso del mondo, che è propria poi di tutta l'*imagerie* favolistica dal paese di Cuccagna in poi.

Mentre a Palermo imperversano i bombardamenti, il cibo scarseggia e Giuseppe controlla e ricontrolla con apprensione la provvista di castagne che è riuscito a racimolare, nella grande sala da pranzo di casa Piccolo, con i mobili inglesi in stile Chippendale e il sontuoso lampadario di Murano, non solo si mangia in abbondanza, ma ci si permette di elaborare variazioni su temi di Escoffier, di servire il dessert «appena tiepido» come si conviene, di avere nel corso di un sol giorno sfornati alle due e mezza «arancini di riso, des immenses omelettes au jambon, viande avec montagnes de pommes de terre, un plat de jambon et saucisson, marmelades etc.» e per cena, «pasta con le sarde, du poulet et un exquis blanc manger d'amandes arrosé de sauce de chocolat».

Questo intreccio di biancomangiare, di *goblins* irlandesi e di storie sinistre di defunti («che male non fanno, che può un flusso di memoria senza muscoli o sangue?»),[9] questa immemore impotenza da Dei con le palpebre pesanti e la voce nasale che sciolgono in bocca marzapani confezionati dalle monache di clausura, doveva essere cara a Giuseppe come «ogni più cara cosa» e doveva, sopra ogni cosa, racchiudere in sé il senso rassicurante del loro essere "mostri" insieme.

Quindi il cibo di Capo d'Orlando era seducente per Giuseppe come una sirena, non solo perché si era in tempi di carestia – anche per questo certo, ma non sarebbe bastato – ma perché era un cibo immerso nell'aura dei Piccolo e quindi nella sua stessa storia familiare: aveva uno stile inconfondibile che speziava e rendeva più specialmente saporose le vivande.

Ed è da questo cibo, per così dire "sentimentale", che deriva a Giuseppe il saper cogliere i significati altri che il mangiare comporta, al di là del puro sfamarsi, come si vede per esempio a proposito di una cena in casa del barone Bebbuzzo Lo Monaco:

[...] nous nous sommes assis à la elegant and abundant table (comme dit Dickens) [...] nous avons dévoré un grand et gros de ces dîners que Bebbuzzo croit être très raffinés et qui sont tout simplement savoureux (consommé en tasse, cannelloni, tournedos avec champignons, asperges, ailes de poulet rôties, salade, profiteroles au chocolat, fruits, café) le tout en proportions énormes, dieu sait pourquoi. Tout ceci arrosé de vins différents et de champagne.*

Qui in casa Lo Monaco, la quantità lo irrita, lì, dai Piccolo, lo delizia:

J'ai eu des biftecks tels qu'il y avait dix ans que je n'en avais point: hauts de deux doigts, tendres, savoureux, giclant un sang parfumé dans leur jus et une admirable purée de pommes de terre qui les accompagnait. Et aussi une fois un important roastbeef, une tranche de thon large comme une roue d'auto (littéralement), des gâteaux exquis [...]**

Oppure nel giugno '42:

Fettuccine (les vraies, larges, minces et à l'œuf) au beurre et parmesan, un énorme poisson (une cernia)

* «[...] ci siamo seduti alla elegant and abundant table (come dice Dickens) [...] abbiamo divorato una di quelle cene grandi e pesanti che Bebbuzzo crede siano molto raffinate e che sono invece semplicemente saporite (consommé in tazza, cannelloni, tournedos con funghi, asparagi, ali di pollo arrosto, insalata, profiteroles al cioccolato, frutta, caffè) tutto in proporzioni enormi, Dio solo sa perché. Tutto questo annaffiato da vini diversi e champagne».

** «Ho avuto delle biftecks come non ne avevo avute da dieci anni a questa parte: alte due dita, tenere, saporite, trasudanti un sangue profumato nel loro sugo e un meraviglioso purè di patate per contorno. E una volta anche un bel roastbeef, un trancio di tonno largo come una ruota di automobile (letteralmente), dei dolci squisiti [...]».

servi entier, avec son énorme gueule ouverte comme la baleine de Jonas, bouilli, flanqué de pommes de terre (de Hollande) et accompagné de deux *soupières* une de sauce mayonnaise (froide), une de sauce hollandaise (chaude). Un pâté de lapin confit avec toutes les règles des vieux pâtes de gibier: avec purée de foies, truffes noires, pistaches, gelée; une excellente réussite de l'art de Giovanna. Comme plat doux des meringues glacées, bourrées de glace de vrai chocolat.*

À la fin Giovanna a dit: «Abbiamo pensato di fare un pranzo *leggero* e quasi tutto freddo, per l'estate».

Dove si vede che per Giuseppe Tomasi di Lampedusa il cibo è primariamente un "luogo dei sentimenti", oltre che un paesaggio indispensabile alla vitalità del suo immaginario.

Così che molti anni dopo potrà scrivere pagine assai singolari per la letteratura italiana contemporanea, di solito povera di descrizioni che riguardino la cultura del cibo.

«Al di sotto dei candelabri, al di sotto delle alzate a cinque ripiani che elevavano verso il

* «Fettuccine (quelle vere, larghe e sottili all'uovo) al burro e parmigiano, un pesce enorme (una cernia) servito intero, con la sua enorme gola aperta come la balena di Giona, con a fianco patate (dall'Olanda) e accompagnato da due salsiere, una di maionese (fredda) e l'altra di salsa olandese (calda). Un pâté di coniglio fatto a regola d'arte: con macinato di fegato, tartufi neri, pistacchi, gelatina; un'eccellente riuscita dell'arte di Giovanna. Come dolce delle meringhe gelate ripiene di gelato di vera cioccolata».

soffitto lontano le piramidi di "dolci da riposto" mai consumati, si stendeva la monotona opulenza delle *tables à thé* dei grandi balli: coralline le aragoste lessate vive, cerei e gommosi gli *chaud-froids* di vitello, di tinta acciaio le spigole immerse nelle soffici salse, i tacchini che il calore dei forni aveva dorato, i pasticci di fegato rosei sotto le corazze di gelatina, le beccacce disossate recline su tumuli di crostoni ambrati, decorati delle loro stesse viscere triturate, le galantine color d'aurora, dieci altre crudeli, colorate delizie. Alle estremità della tavola due monumentali zuppiere d'argento contenevano il *consommé* ambra bruciata e limpido [...]. [Don Fabrizio] disprezzò la tavola delle bibite che stava sulla destra, luccicante di cristalli e di argenti, si diresse a sinistra verso quella dei dolci. Lì immani *babà* sauri come il manto dei cavalli, Monte Bianchi nevosi di panna, *beignets Dauphin* che le mandorle screziavano di bianco e i pistacchi di verdino, collinette di *profiteroles* alla cioccolata, marroni e grasse come l'*humus* della piana di Catania dal quale, di fatto attraverso lunghi rigiri essi provenivano, *parfaits* rosei, *parfaits* sciampagna, *parfaits* bigi che si sfaldavano scricchiolando quando la spatola li divideva, sviolinature in maggiore delle amarene candite, timbri aciduli degli ananas gialli, e "trionfi della gola" col verde opaco dei loro pistacchi macinati, impudiche "paste delle vergini"».[10]

Capitolo quarto

> Fra tutte le lettere le più belle sono quelle in cui dai ragione alla mia «paura» tentando tuttavia di spiegarmi perché non devo averne. Perché io stesso anche se talvolta ho l'aria di difendere la mia paura come un avvocato non autorizzato, è probabile che le dia ragione nel più profondo di me stesso: io sono fatto di lei e lei è forse ciò che io ho di migliore, la sola cosa che tu probabilmente ami.
>
> FRANZ KAFKA, *Lettere a Milena*

Il secondo capitolo de *I luoghi della mia prima infanzia* si intitola *Casa Lampedusa* e inizia così: «Anzitutto la nostra casa. La amavo con abbandono assoluto e la amo ancora adesso quando essa non è più che un ricordo. Fino a pochi mesi prima della sua distruzione dormivo nella stanza nella quale ero nato, a quattro metri di distanza da dove era stato posto il letto di mia madre durante il travaglio del parto. Ed in quella casa, in quella stessa stanza forse, ero lieto di essere sicuro di morire. Tutte le altre case (poche del resto a parte gli alberghi) sono state dei tetti che hanno servito a ripararmi dalla pioggia o dal sole, ma non delle case nel senso arcaico e venerabile della parola.

«Sarà quindi molto doloroso per me rievocare la Scomparsa amata come essa fu fino al '29 nella sua integrità e nella sua bellezza, come essa continuò dopotutto ad essere sino al 5 aprile 1943, giorno in cui le bombe trascinate da oltre Atlantico la cercarono e la distrussero».[1]

Ci vorranno molti anni dunque, più di un decennio, perché Giuseppe trovi le parole per descrivere la sua casa. E la capacità di parlarne, l'abbandono necessario per ridisegnarne la presenza fanno parte di quel «senile coraggio lampedusiano» di cui parla Giuseppe Paolo Samonà. *I luoghi della mia prima infanzia* raccontano Palazzo Lampedusa «come fu fino al '29 nella sua integrità e nella sua bellezza», con la consapevolezza luminosa che riesce a dare un ricordo decantato ed orgoglioso: «e casa voglio chiamarla e non palazzo, nome che è stato deturpato, appioppato come è adesso ai falansteri di quindici piani».

Le lettere di Giuseppe a Licy nel periodo che va dal dicembre '42, quando i Lampedusa furono costretti a sfollare a Capo d'Orlando, all'aprile del '43, raccontano Palazzo Lampedusa proprio nel senso di quel «come essa continuò dopotutto ad essere» sino alla fine.

presso baronessa Piccolo -
Capo d'Orlando (Messina), 9 dicembre '42

Muri, ma très chère et très aimée Muri, tu ne peux pas imaginer la surprise extrême et la joie sans bornes que ton infortuné Petit a eu il y a deux heures en recevant ton télégramme! Cette dépêche est arrivée à une heure très grise de sa vie, alors qu'il avait quitté la maison depuis quarante-huit heures, après avoir passé des semaines très dures, et elle a balayé toutes les tristesses et redonné du cœur au ventre à celui auquel il en était resté bien peu.

Nous avons décidé de quitter la ville avec encore un jour d'anticipation sur ce que nous pensions et, partis le 7 à 8h du matin, sommes arrivés ici à midi. Et voilà que ce matin on m'apporte ta dépêche [...].

Donc nous sommes ici, ma Mère, Crab et moi car la vie en ville était devenue très désagréable. On nous éveille plusieurs fois par nuit et à grand bruit; le jour aussi c'est une suite ininterrompue d'alertes; et toujours un serrement de cœur, l'attente de quelque grosse raclée. Tu sais bien si je suis ou non calme dans des circonstances semblables; mais il fallait partir. Toutes nos connaissances avaient quitté depuis longtemps. J'errais seul dans le Cercle. Trois fois de suite nos vitres ont été cassées; la maison avec tous ses objets transportés en bas a l'air lugubre. Les domestiques sont partis pour la campagne sans crier gare. Il n'y a pas eu chez nous de grands dégâts mais de petits dont un très coûteux.

D'ici on avait envoyé Lucio pour nous hâter de partir. Et nous y sommes quoiqu'ici aussi la vie ne soit plus ce qu'elle était. Et c'est très bien tout de même, de pouvoir dormir. Nous avons au moins le temps d'attendre que la bourrasque passe ou, si elle ne passe pas vite de nous retrouver pour voir que faire.*

* «Capo d'Orlando, 9 dicembre '42. Muri, mia carissima e amatissima Muri, tu non puoi immaginare la straordinaria sorpresa e la gioia sconfinata che ha provato il tuo sfortunato Piccolo due ore fa ricevendo il tuo telegramma. Questo dispaccio è arrivato in un'ora assai grigia della sua vita, proprio quando aveva lasciato la casa da 48 ore, dopo aver passato settimane durissime, ed ha spazzato via tutte le tristezze e ridato un po' di coraggio a chi ne aveva oramai molto poco.

«Ci siamo decisi a lasciare la città con un giorno di anticipo su quello che si era pensato e, partiti il 7 alle 8 del mattino, siamo arrivati qui a mezzogiorno. Ed ecco che questa mattina mi portano il tuo telegramma [...].

«Dunque adesso siamo qui mia Madre, Crab ed io, perché la vita in città era diventata molto sgradevole. Ci svegliamo varie volte per notte e con gran rumore; anche durante il giorno è un susseguirsi ininterrotto di allarmi, ed ogni volta è una stretta al cuore, l'attesa di qualche grossa batosta. Tu sai bene quanto io sia calmo in simili circostanze, ma bisognava partire. Tutti i nostri conoscenti erano scappati già da tempo. Vagavo da solo nel Circolo. I nostri vetri sono andati in pezzi tre volte di seguito; la casa, con tutti gli oggetti trasportati in basso, ha l'aria lugubre. I domestici sono partiti per la campagna senza nemmeno avvertire. Da noi non ci sono stati grandi danni ma piccoli sì, ed anche uno molto costoso.

La prima cosa che colpisce è la calligrafia di Giuseppe che si è improvvisamente infittita, rimpicciolita, rinserrata, come di uno che si pieghi su se stesso per fronteggiare «quelque grosse raclée». Compare una macchina da scrivere.

Alessandra, rientrata da Stomersee che ha abbandonato definitivamente, è a Roma, in casa della madre e del patrigno, lo zio Pietro. Per Natale, infatti, Giuseppe la raggiunge e passano tutti insieme le feste. Ma subito dopo ritorna a Capo d'Orlando dove ha lasciato la madre con i Piccolo e, da quel momento, non si muove più dalla Sicilia per un lungo periodo.

Capo d'Orlando, le 26 Janvier 1943

Muri, my dearest and best,

j'ai reçu hier soir ton télégramme et ce matin une lettre recommandée de toi en date 22 [...]. Je vois tout d'abord que tous les deux nous étions inquiets en même temps et que donc bon nombre de lettres se sont perdues. Moi je t'ai écrit au moins six fois depuis mon départ de Rome, en plus de deux dépêches.

Je résume la situation telle qu'elle est à présent: 1. *Palermo*. La vie y est à présent (et elle va le devenir de

«Da qui era stato inviato Lucio per farci affrettare la partenza. E adesso qui siamo benché la vita non sia più quella di un tempo. Ed è già qualcosa il fatto di poter dormire. Perlomeno abbiamo il tempo di attendere che passi la burrasca e, se non passa in fretta, di orientarci e vedere il da farsi».

plus en plus) très pénible. La dernière fois que j'y ai été (pendant deux jours) il y a eu sept alarmes avec feu et mitraille; les Palermitains se montrent très crânes mais pourtant à cinq heures du soir la ville est déserte.
2. *La maison.* Elle est à présent inhabitable; non pas Dieu merci qu'il y ait eu de grands dommages, mais le dernier bombardement (du 7 janvier) avec les bombes qui sont tombées assez près a disloqué toutes les fenêtres, enfoncé la porte d'entrée dans l'appartement, renversé par terre et blessé don Totò et surtout cassé plusieurs vitres dans chaque chambre et comme on ne peut les remplacer le vent circule dans la maison comme dans un bois; à grand peine j'ai pu faire réparer la porte d'entrée. Dans le refuge il n'y a rien eu heureusement; la fenêtre qui donnait sur la rue a été murée. En général aucun meuble ni objet n'a été endommagé.
3. *Capo d'Orlando.* Ma Mère et moi sommes ici depuis plus d'un mois et demi et évidemment il n'est plus possible que nous y restions beaucoup plus longtemps. Après de longues recherches on a enfin trouvé la maison où loger; comme je te l'ai écrit de Palermo c'est une gentille maisonnette de quatre chambres, un cabinet et une terrasse, très propre et toute neuve; neuve au point qu'on n'y avait même pas bâti de cuisine et de W.C. Depuis que je l'ai engagée le propriétaire est en train de faire faire ces locaux indispensables; il y a des difficultés pour trouver le matériel mais en somme ce sera fini bientôt. La maison est louée vide de tout meuble. En ce moment l'électricité manque dans tout le pays; dès qu'elle reviendra il n'y aura qu'un simple

fil à poser et nous l'aurons. En attendant il faudra se contenter de lampes à huile que j'ai déjà achetées et qui sont très charmantes. 4. *Meubles.* De Palermo j'ai fait emballer et expédier ici par chemin de fer les lits, les lavabos, des tables, des chaises, des commodes, des fauteuils, des rideaux, des tapis, de la vaisselle. J'ai emporté avec moi les couvertures et la lingerie de lit ainsi que l'argenterie et la machine à écrire sur laquelle je t'écris en ce moment.

Il y a aussi de nombreux livres. Tout ceci transporté avec des peines incroyables dans des valises lourdes comme le plomb dans des trains archipleins. Quand les meubles seront arrivés et que nous serons installés on verra si on pourra transporter des objets de valeur, si les conditions de sûreté (quant au vol) seront suffisantes. Le bail a été fait pour un an à des conditions assez bonnes si on considère le moment. Agréable ou non cette solution a été la seule possible: dans aucun autre "paese" on n'aurait trouvé, sans connaissances, ce que même ici j'ai trouvé avec difficulté; en outre il fallait que ce fût un endroit assez près du chemin de fer parce qu'il est indispensable que j'aille assez souvent en ville. En plus nous serons tout près de Michelone qui nous fournira lait et légumes. J'espère aussi le pain, comme cela nous pourrons laisser nos tessere à Palermo car si on demande de les transférer à la campagne il y a le danger qu'on prenne l'appartement pour y loger des Allemands.

Je ne sais ce que tu voulais proposer dans ta lettre espresso mais en tout cas il était impossible de retarder les négociations pour la maison tout ayant déjà été conclu le 20. Dès que les meubles seront arrivés et que la cuisine et le reste seront prêts je te télégraphierai et tu pourras venir directement ici.

Le chauffage est insoluble ici; mais la saison est très bonne. Une vieille femme de chambre d'ici a déjà été retenue; elle a été avec les Piccolo et fait très bien la cuisine. Crab se porte comme les anges desquels il a la beauté et la bonté. C'est le seul qui a gagné en tout ceci. Ecris-moi si tu veux que je t'apporte ici ta pelisse en loutre. N'oublie pas ton Petit et écris-lui souvent. And cheer up.

Mille baisers de ton M. qui t'aime.*

* «Capo d'Orlando, 26 gennaio 1943. Muri, my dearest and best, ho ricevuto ieri il tuo telegramma e questa mattina una tua lettera raccomandata in data 22 [...]. Prima di tutto mi rendo conto che tutti e due stavamo in pensiero nello stesso tempo e che dunque un buon numero di lettere sono andate perdute. Io ti ho scritto almeno sei volte dalla mia partenza da Roma, oltre a due telegrammi.

«Riassumo la situazione così com'è in questo momento: 1. *Palermo*. La vita lì è al momento (e va divenendolo sempre di più) molto penosa. L'ultima volta che vi sono stato (per due giorni) ci sono stati sette allarmi con fuoco e mitraglia; i Palermitani si mostrano molto spavaldi, comunque alle cinque del pomeriggio la città è deserta. 2. *La casa*. Al momento è inabitabile, non perché, grazie a Dio, ci siano stati molti danni, ma perché l'ultimo bombardamento (del 7 gennaio), con le bombe che sono cadute abbastanza vicino, ha divelto tutte le finestre, sfondato la porta d'ingresso nell'appartamento, buttato a terra e ferito don Totò e soprattutto infranto numerosi vetri in ogni stanza, e dato che non è possibile rimpiazzarli, il vento circola nella casa come in un bosco; con grande fatica ho potuto far riparare la porta d'ingresso. Nel rifugio per fortuna non è successo niente; la finestra che dava sulla strada è stata murata. In generale nessun mobile o oggetto è stato danneggiato. 3. *Capo d'Orlando*. Mia madre ed io siamo qui da più di un mese e mezzo ed evidentemente non è più possibile rimanervi molto a lungo ancora. Dopo lunghe ricerche finalmente si è trovata la casa dove sistemarsi: come ti ho già scritto da Palermo è una graziosa casetta di quattro stanze, uno stanzino ed una terrazza molto pulita e nuova di zecca; nuova al punto che non avevano ancora costruito la cucina ed il

A queste lettere ne seguono alcune altre, più o meno con le stesse minuziose informazioni: e, ogni volta, con una pignoleria non priva di un certo compiacimento, Giuseppe illustra la situazione «telle qu'elle est».

W.C. Dopo averla fissata il proprietario sta facendo costruire questi locali indispensabili: ci sono difficoltà per trovare il materiale ma, insomma, presto sarà tutto finito. La casa è affittata vuota senza nessun mobile. In questo momento manca l'elettricità in tutto il paese; non appena ritornerà non ci sarà che da mettere un filo e l'avremo. Aspettando bisognerà accontentarsi delle lampade ad olio che ho già comprate e che sono incantevoli. 4. *Mobili.* Da Palermo ho fatto imballare e spedire qui, per ferrovia, letti, lavamano, tavoli, seggiole, cassettoni, poltrone, tende, tappeti, stoviglie. Ho portato con me le coperte e la biancheria da letto oltre all'argenteria e la macchina da scrivere sulla quale ti scrivo in questo momento.

«Ci sono inoltre numerosi libri. Tutto questo trasportato con pene incredibili con valigie pesanti come il piombo in treni arcipieni. Quando i mobili saranno arrivati e saremo installati si vedrà se trasportare oggetti di valore, se le condizioni di sicurezza (quanto ai furti) saranno sufficienti. L'affitto è stato fatto per un anno a condizioni piuttosto buone se si considerano i tempi. Piacevole o meno, questa soluzione è stata la sola possibile: in nessun altro paese avremmo trovato, senza conoscenze, quello che anche qui ho trovato con difficoltà: inoltre c'era bisogno di un posto abbastanza vicino alla ferrovia perché è indispensabile che io vada spesso in città. E in più saremo molto vicini a Michelone che ci fornirà latte e legumi. Spero anche pane, cosicché potremo lasciare le nostre tessere a Palermo dato che, se si domanda di trasferirle in campagna, c'è il pericolo che l'appartamento sia requisito per alloggiarvi dei Tedeschi.

«Io non so che cosa volevi proporre nel tuo espresso, ma in ogni caso era impossibile ritardare le trattative per la casa dovendo tutto concludersi per il 20. Non appena i mobili saranno arrivati e la cucina ed il resto saranno pronti ti telegraferò e tu potrai venire qui direttamente.

«Per il riscaldamento non c'è soluzione, ma la stagione è ottima. È stata già fissata una vecchia cameriera: è stata con i Piccolo e cucina molto bene. Crab si comporta come gli angeli di cui ha la bellezza e la bontà. È il solo che ha guadagnato in tutto questo. Scrivimi se vuoi che ti porti qui la pelliccia di lontra. Non dimenticare il tuo Piccolo e scrivigli spesso. And cheer up *[E su con la vita].* Mille baci dal tuo M. che ti ama».

Le missive spesso vanno perdute oppure Licy non risponde, non si capisce bene, comunque qualche cosa deve essere arrivato da parte di lei non proprio entusiasta per questo nuovo assetto, se Giuseppe si affretta a precisare il 27 gennaio 1943 da Capo d'Orlando:

Le propriétaire de la maison est un des Siciliens qui ont longtemps demeuré en Amérique et il se propose de faire les choses en grand. Je désire souligner que la maison n'est pas du tout un tugurio, qu'elle ne ressemble en rien à la maison où je vivais à Poggioreale, ni comme situation, ni comme structure. Ce n'est pas du tout une maison de paysans mais ce qu'on appelle ici una casa civile. L'eau sera apportée chaque jour dans deux grandes jarres qu'on appelle quartare qui ont déjà été achetées. C'est un système barbare mais avec lequel j'ai passé toute mon enfance à Santa Margherita et à Bagheria; même système en somme qu'à Stomersee.*

La stagione è incredibilmente clemente e le

* «Il proprietario della casa è uno di quei Siciliani che hanno vissuto molto in America e vuole fare le cose in grande. Desidero sottolineare che la casa non è per nulla un tugurio, che non rassomiglia per niente alla casa dove vivevo a Poggioreale, né come situazione né come struttura. Non è assolutamente una casa di contadini ma quella che qui viene chiamata una casa civile. L'acqua sarà portata ogni giorno in due grandi giare che vengono chiamate quartare e che sono già state acquistate. È un sistema barbaro ma con il quale ho passato tutta la mia infanzia a Santa Margherita e a Bagheria: lo stesso sistema, d'altra parte, che si usa a Stomersee».

giornate passano veloci: i cugini, la madre, Crab, tante piccole cose quotidiane da fare, la nuova casa da sistemare, il palazzo di Palermo che è ancora miracolosamente salvo. Licy intanto è sempre a Roma.

Una sorta di leggerezza dell'essere ogni tanto fa sembrare la guerra lontana.

2 février 1943

La campagne est pleine de roses rouges, d'amandiers fleuris, de narcisses sauvages et avec les arbres chargés de citrons est vraiment une beauté. Mais tout près que de choses atroces se passent; et on s'étonne que ce beau ciel si pur ne daigne même pas se voiler un peu! E tu Muri come stai?*

11 février 1943

Le temps ici est très doux mais depuis deux jours très pluvieux. La campagne est charmante toute dans des tons gris très délicats: le gris argenté des oliviers se fond avec le gris perle du ciel et les amandiers déjà fleuris posent à peine dans le paysage des ombres de lumière blanche rosée et rose blanchâtre. Les

* «2 febbraio 1943. La campagna è piena di rose rosse, di mandorli fioriti, di narcisi selvatici e con gli alberi carichi di limoni è veramente una bellezza. Ma proprio a un passo quante atroci cose accadono, e uno si meraviglia che questo bel cielo così puro non si degni di velarsi neppure un poco. E tu Muri, come stai?».

arbres ont déjà leurs bourgeons gonflés tandis que d'autres ont encore leurs feuilles dorées. Dans une semaine ce sera le printemps. La mer semble de lait et les îles y sont posées dessus comme de gros flocons de fumée.

Autour de notre future maison les citronniers sont chargés de fruits: il y a un arbre très drôle qui porte en même temps de gros citrons et de grosses oranges à la peau si grosse et raboteuse que cela a l'air d'une matière animale.*

Sempre nei *Luoghi* Lampedusa afferma di non essere in sintonia con Stendhal quando interpreta la sua infanzia come un tempo in cui subì tirannia e prepotenza: «Per me l'infanzia è un paradiso perduto. Tutti erano buoni con me, ero il re della casa. Anche personaggi che poi mi furono ostili allora erano "aux petits soins". Quindi il lettore (che non ci sarà) aspetti di essere menato a spasso in

* «11 febbraio 1943. Il tempo qui è molto mite ma da due giorni anche molto piovoso. La campagna è incantevole, tutta in toni di grigio molto delicati; il grigio argenteo degli olivi si fonde con il grigio perla del cielo e i mandorli già fioriti gettano appena sul paesaggio ombre di luce bianca rosata e rosa biancastra. Gli alberi hanno già le gemme gonfie mentre altri hanno ancora le foglie dorate. Fra una settimana sarà primavera. Il mare sembra di latte e le isole vi sono poggiate sopra come dei grossi fiocchi di fumo.

«Intorno alla nostra futura casa i limoni sono carichi di frutti. C'è un albero stranissimo carico nello stesso tempo di grossi limoni e di grosse arance dalla buccia così spessa e rugosa da sembrare quasi una materia animale».

un Paradiso Terrestre e perduto. Se si annoierà, non importa».[2]

In questa ultima frase la difesa del suo *Paradise Lost* conserva, sullo sfondo di una sapiente *captatio benevolentiae* che è di tutto il brano, una venatura infantile e la liricità ha un guizzo di coperta protervia, se pur velata d'ironia, tutti temi molto peculiari di Giuseppe. Il fatto è che quel primo e intoccabile tempio che era stata la sua infanzia non ammette di essere messo in discussione.

In quello scorcio d'inverno '42-43 il senso di fluido e di vuoto, che aveva perseguitato Lampedusa a Palermo, sembra essersi completamente dissolto e, anzi, ogni tanto c'è da pensare che a Capo d'Orlando, se pure fugacemente, Lampedusa abbia potuto ritrovare qualche grumo del suo *Paradiso perduto*: «[...] sweet interchange / Of hill and valley, rivers, woods, and plains».[3] Così, dice Milton, appare ad Adamo dopo la cacciata, il suo "paradiso perduto". Ed è con la stessa dolcezza che Giuseppe scopre la natura. È in quella campagna che affonda «l'amore abbagliato, commosso per il paesaggio ed il clima siciliano» che molti anni dopo Francesco Orlando scoprirà con stupore nel *Gattopardo*, velato com'era nel suo illustre insegnante d'inglese, dall'eterno pudore.

Amore che innanzitutto era appartenenza, tradizione, eredità profonde e che in quel momento lievita in un senso panico grazie ad una sorta di tregua di diritto dall'impegno dell'essere: sgravato com'era da ogni personale responsabilità. Tanto che l'impressione che se ne trae, leggendo le lettere di questo periodo, è che il tempo dovette sembrargli sospeso nell'attenzione centrata sulla mera sopravvivenza, in quella pignoleria da contabile con cui sgranava la sintassi delle sue giornate, divertito e compiaciuto nella atmosfera di rusticità paesana:

> Crab inspire la plus salutaire des terreurs. Dès que je sors avec lui en laisse on voit les enfants s'enfuir en hurlant, les femmes se rétracter derrière les portes, les chèvres et moutons briser leur corde de terreur et grimper sur les montagnes l'air éperdu, les autres chiens se retirer au galop très loin, comme les Allemands en Russie, d'où de leurs nouvelles positions préétablies, ils créent un barrage d'aboiements sans oser approcher. Notre Petit se montre très fier de la peur qu'il inspire; il croit que cela est dû à sa réputation de férocité (!)

tandis que c'est au fond que tous ces gens ne savent pas quelle bête c'est.

Plusieurs femmes m'ont demandé si c'est un chien ou un singe. Je réponds toujours «scimmia americana», ce qui augmente encore son prestige et le mien.*

Questo è, dunque, lo scenario con i personaggi che definitivamente lo consacrano come Eden: innanzitutto i Piccolo, che per la festa di san Giuseppe preparano «un'enorme ed eccellente torta al cioccolato e panna montata». Quella che manca, invece, è donna Beatrice, la madre.

Come di tutte le cose che veramente gli stanno a cuore, Giuseppe, nelle sue lettere, della madre non parla mai. E dobbiamo immaginare questo legame con lei tanto più forte, complesso ed irrisolto quanto più è accompagnato da silenzio e da pudore.

* «Crab ispira il più salutare dei terrori. Da quando esco con lui al guinzaglio si vedono i bambini fuggire urlando, le donne ritirarsi dietro i portoni, le capre e le pecore spezzare le corde dalla paura e arrampicarsi sulle montagne con l'aria terrorizzata, gli altri cani si ritirano lontanissimi al galoppo, come i Tedeschi in Russia, e dalle nuove postazioni conquistate creano una barriera di latrati senza osare avvicinarsi. Il nostro Piccolo si mostra molto fiero della paura che ispira, crede che tutto ciò sia dovuto alla sua reputazione di ferocia (!), mentre il fatto è che tutta questa gente non sa bene di che bestia si tratti.

«Molte donne mi hanno domandato se si tratta di un cane o di una scimmia. Io rispondo sempre "scimmia americana", cosa che aumenta ancora il suo prestigio ed il mio».

Avviene così che per lettere e lettere Lampedusa si soffermi sulle minuzie che oramai conosciamo, cerchi di indurre in tutti i modi Licy a lasciare Roma e a venire nella nuova casa, raccontandole delle lampade ad olio «che sono incantevoli», prospettandole una vita semplice, quasi facile dati i tempi, con una scioltezza di toni e una capacità di adattamento che sembrano ideali. Al vero nodo della situazione non si viene mai. Il silenzio, per Giuseppe, ha qui il valore di quel «se si annoierà non importa» posto alla fine del primo capitolo dei *Luoghi*. Un valore in questo caso potenziato perché privo della mediazione, che lì c'era, di una scrittura "ufficiale", ma con lo stesso fine: una estrema, proterva difesa di un rapporto privilegiato ed ineffabile con il suo mondo, con il suo Eden perduto.

In quella «graziosa casetta di quattro stanze» dovrebbero vivere in tre, e donna Beatrice non era certo personaggio da occupare poco spazio, come d'altronde non lo era la battagliera Alessandra. Alla fine, messo alle strette (si può immaginare che Licy lo incalzasse con veemenza chiedendogli di essere esplicito, di dirle le cose esattamente come stavano), sempre senza mai nominare il vero oggetto del contendere, Giuseppe produce questo piccolo capolavoro di diplomazia epistolare:

11 février 1943

J'ai pensé à ce que «ce sera» (comme tu dis) quand nous serons tous dans la maisonnette en bas. Je dois dire que cela ne m'effraie pas, car j'ai trop confiance dans le bon sens des deux dames qui y demeureront. Je suis certain qu'elles ne voudront pas greffer une minuscule guerre civile sur le ** épouvantable de la guerre véritable de laquelle nous sommes victimes; qu'elles comprendront l'inéluctable des incommodités que nous subissons; et que, en tout cas, le manque d'à propos et la bizarrerie des conflits retournera sur elles-mêmes. J'ai confiance, en un mot, qu'elles ne voudront pas créer à moi un «deuxième front» et que la souplesse italienne et slave saura s'accommoder aux circonstances qui nous surpassent tellement, tous tant que nous sommes.*

Alessandra resta a Roma.

* «11 febbraio 1943. Ho pensato a "quello che sarà" (come tu dici) quando saremo tutti nella casetta in basso. Devo dire che non è cosa che mi spaventi, perché ho troppa fiducia nel buon senso delle due signore che vi soggiorneranno. Sono certo che esse non vorranno innestare una minuscola guerra civile su il ** *[sfondo]* terribile della vera guerra di cui noi siamo vittime e che esse comprenderanno l'ineluttabilità dei disagi che subiamo e che, in ogni caso, l'inopportunità e la bizzarria dei conflitti ricadranno su loro stesse. Confido, in una parola, che non vorranno crearmi un "secondo fronte", e che la versatilità italiana e slava sapranno adattarsi alle circostanze che sovrastano completamente tutti quanti noi».

Giuseppe intanto continua ad andare su e giù con Palermo per controllare lo stato della casa.

Per quanto riguarda la guerra, il mese di febbraio '43 è quello in cui la definitiva sconfitta dell'Asse nel Nord Africa appare imminente. Intanto, secondo i documenti ufficiali americani, già dalla metà di gennaio Roosevelt e Churchill avevano stabilito che la conquista della Tunisia doveva essere risolta entro la fine di aprile e subito dopo bisognava pensare a muovere contro la Sicilia, nodo strategico nel Mediterraneo. Viene prescelto come data ideale per lo sbarco in Sicilia il plenilunio di luglio (in realtà i tempi furono leggermente diversi dal prestabilito). E in attesa dell'offensiva finale proseguono i bombardamenti su Palermo:

Capo d'Orlando, Mardi le 16 Février 1943

J'ai dû rester à Palermo plus longtemps que d'habitude, c'est à dire trois jours, et cela a été très désagréable. Je ne peux pas tout raconter: mais tu dois penser que ton Petit a passé l'après-midi de hier dans un agréable mélange d'eau-forte de Goya et de conte de Poe. Par exemple est-ce que ceci n'est pas un excellent sujet pour Goya? Une grande place vide, sous le plus beau soleil d'hiver. Au milieu un corbillard arrêté: les quatre chevaux noirs accroupis dans un lac de sang, morts. Le cocher avec son tricorne emplumé, renversé sur son siège, l'estomac ouvert, mort. Sur le dos d'un des chevaux une jambe d'enfant, venu d'on ne sait où. Et n'est-ce pas du Poe que de voir un gros major allemand courant dans la rue avec une couverture trempée de sang et dedans une petite fille de huit ans, horriblement mutilée qui hurlait comme si on l'écorchait (ce que malheureusement on avait fait). Le sang coulait sur les pantalons de l'officier, de grosses larmes lui sortaient des yeux et il embrassait la petite en répétant toujours: «Weine nicht, du Mädchen, weine nicht!».

Les Allemands ont été admirables d'activité et de pitié. Mais quand on voit ce qui s'est passé on a envie de cracher sur son passeport d'homme [...]. Vers le soir j'étais à la maison où rien ne s'est passé excepté encore quelques vitres en pièces. Après je suis rentré la nuit à l'hôtel avec un horrible mal de tête qui dure encore. Bebbuzzo a eu la maison en face et la maison à côté démolies. Enfin, une après-midi bien réussie pour monsieur Satane.*

* «Capo d'Orlando, Martedì 16 febbraio 1943. Sono dovuto restare a Palermo più del solito, vale a dire tre giorni, ed è stato molto sgradevole. Non posso raccontarti tutto: ma devi pensare che il tuo Piccolo ha passato il pomeriggio di ieri in un piacevole miscuglio fra un'acquaforte di Goya e un racconto di Poe. Per esempio, non è forse questo un eccellente soggetto per Goya? Una grande piazza vuota, sotto il più bel sole dell'inverno. Al centro fermo un carro funebre; i quattro cavalli neri accovacciati in un lago di sangue, morti. Il cocchiere con il suo tricorno piumato, riverso sul sedile, con il ventre squarciato, morto. Sul dorso di uno dei cavalli una gamba di bambino, venuta da non si sa dove. E non è forse da Poe vedere

Qualche riga più avanti, nella stessa lettera, scriveva ancora:

[...] meglio vale non parlarne [...]. Credo che resterò molto tempo prima di tornarvi. «I have suffered the horrors, today».

Ma il 2 marzo da Capo d'Orlando:

Capo d'Orlando, le 2 Mars 1943

Muri, ma très chère et bien aimée,

je suis rentré ce matin à 8h. ici après avoir passé 36 heures à Palermo.

Elles ont été les plus désagréables de ma vie et même au front je n'ai jamais rien souffert de semblable. Tous ce que je puis dire c'est que je suis vivant et intacte et cela m'a l'air bien étrange. La maison aussi, par miracle, n'a pas souffert, quoique

un grosso maggiore tedesco correre nella strada con una coperta intrisa di sangue e dentro una bambinetta di otto anni, orribilmente mutilata, che urlava come se la stessero scorticando (cosa che purtroppo era accaduta). Il sangue colava sui pantaloni dell'ufficiale, grosse lacrime gli uscivano dagli occhi e abbracciava la piccola ripetendo continuamente: "Non piangere, piccola, non piangere".

«I Tedeschi sono stati ammirevoli per attività e pietà. Ma quando si vede quello che è successo si ha voglia di sputare sul proprio passaporto di uomo [...]. Verso sera sono stato alla casa, dove non è successo niente tranne qualche vetro in pezzi. Dopo, la notte, sono rientrato all'albergo con un orribile mal di testa che dura ancora. Bebbuzzo ha avuto la casa davanti e la casa vicina demolite. Insomma, un pomeriggio ben riuscito per il signor Satana».

l'église de Santa Rita ait été endommagée et la charcuterie Cannistraro n'existe plus.*

Poi improvvisamente le comunicazioni fra di loro si interrompono, Giuseppe continua a scrivere ma non riceve risposta:

Via Consolare Antica-Contrada Vina
Capo d'Orlando (Messina)
Le 1 Avril 1943

Muri, ma très chère et excellente Muri, quoique n'ayant pas de tes nouvelles depuis à peu près un mois et ne sachant pas au juste où tu te trouves, je t'écris pour te donner des détails de ce qui s'est passé à Palermo.

Ainsi que tu le sais déjà sans doute pendant l'après-midi de Lundi le 22 Mars il y a eu le plus fort bombardement de la guerre [...]. Naturellement je suis parti de suite, tu peux te figurer dans quel état d'âme. Je me hâte donc de dire que les dommages ne sont heureusement pas graves: aucune bombe n'a touché la maison ni ses approches immédiats. Les dégâts ont été occasionnés par l'explosion d'un navire dans le port.

* «Capo d'Orlando, 2 marzo 1943. Muri, mia cara e molto amata, sono rientrato questa mattina alle 8 dopo aver passato 36 ore a Palermo.

«Sono state le ore più spiacevoli della mia vita e nemmeno al fronte ho sofferto niente di simile. Tutto quello che posso dire è che sono vivo e incolume e questo mi sembra incredibilmente strano. Anche la casa, per miracolo, non ha sofferto, sebbene la chiesa di Santa Rita sia stata danneggiata e la salumeria Cannistraro non esista più».

Le toit a été percé en trois endroits: de la libreria, de la salle de bain de ma Mère, et de notre W.C. on voit le ciel. Plusieurs portes ont été arrachées entièrement du mur et lancées dans les chambres; plusieurs fenêtres ont subi le même sort; toutes les vitres qui restaient encore sont cassées. Mais ceci est absolument tout ce qui il'y a eu d'endommagé, et je t'assure que si on regarde autour de soi on voit que ce n'est presque rien [...]. Les dégâts en ville sont immenses [...]. L'Hôtel des Palmes a reçu une bombe très grosse juste devant l'entrée principale qui a fait dans la rue un immense entonnoir au fond du quel on voit une auto.

Une autre bombe est tombée dans la rue de côté, là où il y avait les chambres de ta Mère juste devant le refuge. Naturellement personne n'y loge plus. Un immense morceau de navire est tombé sur la maison de Bebbuzzo en pulvérisant sa bibliothèque, sa chambre à coucher et son cabinet de toilette. Lui n'y était pas.*

* «Via Consolare Antica-Contrada Vina, Capo d'Orlando (Messina), 1° aprile1943. Muri, mia cara ed eccellente Muri, pur non avendo tue notizie da quasi un mese e non sapendo di preciso dove tu sia, ti scrivo per darti i dettagli di quello che è successo a Palermo.

«Anche se certamente già lo sai, nel pomeriggio di lunedì 22 marzo c'è stato il bombardamento più forte della guerra [...]. Naturalmente sono partito subito, puoi immaginare in quale stato d'animo. Mi affretto dunque a dirti che per fortuna i danni non sono così gravi: nessuna bomba ha colpito la casa né i suoi immediati dintorni. I guasti sono stati provocati dall'esplosione di una nave nel porto.

«Il tetto è stato forato in tre punti: la libreria, la sala da bagno di mia Madre, e dal nostro W.C. si vede il cielo. Numerose porte sono state completamente strappate dal muro e lanciate nelle stanze; molte finestre hanno subito la stessa sorte; tutti i vetri che ancora rimanevano si sono fracassati. Ma questo è assolutamente tutto quello che c'è di danneggiato e ti posso assicurare che se ci si guarda intorno è quasi nulla [...]. I guasti in città

Nel bel libro di Raleigh Trevelyan, *Princes under the Volcano*, che ricostruisce la storia degli Ingham e dei Whitaker, le due grandi dinastie inglesi trapiantate in Sicilia, si racconta rapidamente in uno scorcio di pagina, fra una lettera e l'altra di Tina Scalia Whitaker alle figlie Norina e Delia, l'occupazione della Sicilia da parte degli alleati: «L'11 giugno 1943, Pantelleria fu occupata dagli alleati, la cui unica perdita consistette in "un soldato morsicato da un mulo". Subito dopo, ci fu la conquista di un'altra isola, Lampedusa, arresasi a un aviatore britannico atterratovi per errore, essendo rimasto senza benzina. L'inizio dell'invasione della Sicilia, la cosiddetta "Operazione Husky", ebbe luogo il 10 luglio, e fu preceduta da violenti bombardamenti su tutte le maggiori città dell'isola. Gli sbarchi avvennero a Licata e a Gela. Quattro dei cinque traghetti usati dai tedeschi nello stretto di Messina furono

sono immensi [...]. L'Hotel des Palmes è stato colpito da una bomba molto grande, proprio davanti all'ingresso principale, bomba che ha provocato un immenso cratere nella strada, in fondo al quale si vede un'automobile.

«Un'altra bomba è caduta nella strada vicina, là dove c'era la stanza di tua Madre, proprio davanti al rifugio. Naturalmente non ci vive più nessuno. Un immenso pezzo di nave è caduto sulla casa di Bebbuzzo polverizzando la sua biblioteca, la sua camera da letto e il bagno. Lui non c'era».

affondati, e della cattedrale di quella città rimasero soltanto le mura esterne. Gravemente danneggiata fu anche la biblioteca universitaria, ma per fortuna la preziosa collezione di manoscritti greci era stata trasferita a Bronte. Anche Catania venne duramente colpita. Il museo di Marsala, che ospitava molti dei reperti di Mozia, e il baglio Woodhouse furono completamente distrutti, e andarono perduti tutti gli archivi dei Woodhouse, degli Ingham, dei Whitaker e dei Florio. Il Ginnasio Romano di Siracusa fu anch'esso gravemente danneggiato sia dalle bombe che dai vandali, ma la sorte peggiore toccò a Palermo: vaste zone della città furono rase al suolo, e oltre sessanta chiese, in gran parte barocche, furono distrutte o gravemente danneggiate.

«Come ebbe a dire lo stesso generale Patton, per una profondità di due isolati a partire dal fronte del porto, praticamente ogni casa era ridotta ad un mucchio di macerie. I pescherecci erano stati letteralmente spazzati via; Palazzo Butera era stato distrutto, una parte del Palazzo Whitaker in via Cavour era crollata, rasa al suolo era la casa dei Lampedusa accanto ad esso.

«Il Palazzo Lampedusa alla Marina, con i suoi balconi dorati, la sala da ballo affrescata, i lampadari di Murano, non esisteva più».[4]

La stessa casa che nei *Luoghi* veniva minuziosamente descritta: «Varcato il portone dal quale si entrava sempre, proprio di fronte alla scala vi era un porticato con colonne di bella pietra grigia di Billiemi che sostenevano il soprastante "Tocchetto". Di faccia al portone vi era infatti il grande cortile acciottolato e diviso in spicchi da file di lastriche. Esso era terminato da tre grandi archi sostenuti anch'essi da colonne di Billiemi, che portavano la terrazza che univa, in quel punto, le due ali della casa.

«La scala grande era molto bella, tutta in Billiemi grigio a due rampe di una quindicina di scalini ognuna, incassata tra due muri giallini. Dove cominciava la seconda rampa vi era un ampio pianerottolo oblungo con due porte in mogano, una di fronte a ciascuna rampa, con dei balconcini a petto d'oca dorati [...].

«Terminata la seconda fuga della scala si sboccava nell'ampio e luminoso "Tocchetto", cioè un porticato i cui vani tra le colonne erano stati riempiti, per ragioni di comodità, da grandi vetrate di vetro opaco a losanghe».[5]

La sua casa, Palazzo Lampedusa, non esisteva più.

Capo d'Orlando, 9 aprile 1943
Via Consolare Antica-Contrada Vina

Muri, ma très chère Muri, je t'écris en grande hâte et dans l'état de tristesse le plus profond: notre pauvre, vieille, chère maison a reçu Lundi passé, le 5 Avril, des blessures très graves.

L'escalier n'existe plus; le «Tocchetto», le salon vert et le jaune sont aussi très gravement atteints. Pense un peu quelles ont étées mes sentiments lorsque Mercredi sans rien savoir je me suis présenté à la maison et ai eu le spectacle affreux. Je n'ai pu entrer: l'escalier n'existant plus et les décombres (hauts comme deux étages) encombrant le passage de Sciarrino vers l'escalier de service. Tout ce que j'ai pu faire c'est de retirer ton gros sac rouge avec la pelisse de loutre et tes souliers qui se trouvait dans le logement du portier (écroulé aussi), le sac était en pièces mais tout son contenu est ici en parfait état. J'ai été à la Questura pour qu'on fasse mettre des gardes autour de la maison.

Je crois que l'appartement de mon Père, le refuge (et c'est là qu'étaient réunis les objets de valeur) sont intacts. De mes aventures après cela à Palermo, de ce que j'ai passé jusqu'ici sous les bombardements incessants, te parlerai à part. Cela m'a donné le dégoût de jamais y remettre le pied.

Capo d'Orlando le 9 Avril 1943
via Consolare Antica
Contrada Vina

Mui, ma très chère Mui,

je t'écris en grande hâte et dans l'état de tristesse le plus profond: notre pauvre, vieille, chère maison a reçu lundi passé, le 5 avril, des bombes très grosses. L'escalier n'existe plus, le "Kuchen-Z", le salon vert et le jaune sont aussi très gravement atteints.

Pense un peu quelles ont étées mes sentiments lorsque Mercredi sans rien savoir je me suis présenté à la maison et ai vu ce spectacle affreux.

Lettera di Giuseppe a Licy, 9 aprile 1943.

L'Hôtel des Palmes a été refrappé et est une coque vide.

L'état dans lequel se trouve ma Mère est indescriptible.

Tout le monde a été très gentil avec moi, Stefano à Santa Flavia, les Piccolo ici.

La maison de [...] aussi est détruite, ainsi que celle de [...], la belle église de l'Olivella n'existe plus.

Je te prie fais lire cette lettre à zio Pietro, en le priant de m'excuser si je ne lui écris pas directement, je le ferai bientôt.

Au revoir, mon Chou Chéri, je t'embrasse très très fort...

Ton M. qui t'aime.*

* «Capo d'Orlando, 9 aprile 1943, Via Consolare Antica-Contrada Vina. Muri, mia carissima Muri, ti scrivo in gran fretta e nello stato di tristezza più profondo, la nostra povera vecchia cara casa ha ricevuto, Lunedì scorso, il 5 aprile, delle ferite molto gravi.

«La scalinata non esiste più, il "Tocchetto", il salotto verde e quello giallo sono anch'essi colpiti gravemente. Puoi immaginare le mie sensazioni quando Mercoledì, senza sapere niente, mi sono presentato a casa ed ho visto questo terribile spettacolo. Non sono riuscito ad entrare: dato che la scalinata non esiste più e che le macerie (alte come due piani) ingombrano il passaggio di Sciarrino verso la scala di servizio. Tutto quello che ho potuto fare è stato prendere la tua grossa borsa rossa con la pelliccia di lontra e le tue scarpe che stavano nell'alloggio del portiere (anch'esso crollato), la borsa era a pezzi ma tutto il suo contenuto è qui con me, intatto. Sono andato alla questura per far mettere delle guardie intorno alla casa.

«Credo che l'appartamento di mio Padre, il rifugio (ed era là che si trovavano riuniti gli oggetti di valore) siano intatti. Delle mie avventure a Palermo e di quello che ho passato fino ad adesso sotto i bombardamenti incessanti ti parlerò a parte. Tutto questo mi ha dato il disgusto e il desiderio di non rimettervi mai più piede. L'Hotel des Palmes è stato ancora colpito ed è un guscio vuoto. Lo stato in cui si trova mia Madre è indescrivibile. Tutti quanti sono stati molto gentili con me. Stefano a Santa Flavia, i Piccolo qui. Anche la casa di [...] è stata distrutta con quella di [...] e la bella chiesa dell'Olivella non esiste più.

«Ti prego di far leggere questa lettera a zio Pietro, pregandolo di scusarmi se non gli scrivo direttamente, lo farò presto. Arrivederci Tesoro mio, ti abbraccio forte forte. Il tuo M. che ti ama».

Capitolo quinto

> Sino a quando non avrai appreso
> questo morire e rinascere,
> non sarai che un triste viaggiatore
> per l'oscura terra.
>
> JOHANN WOLFGANG GOETHE, *Faust*

Alla distruzione del Palazzo Lampedusa, il 5 aprile 1943, corrisponde, circa un anno dopo, la certezza che il castello di Stomersee è definitivamente perduto.

La Lettonia, che già in base alle clausole segrete degli accordi tra Mosca e Berlino dell'agosto e dell'ottobre del 1939 era stata inclusa nella zona d'influenza sovietica, viene occupata, nel giugno 1940, dall'Armata Rossa e di fatto incorporata nell'Unione Sovietica.

Nel luglio del 1941, un mese dopo l'inizio dell'attacco nazista all'Urss, la Lettonia, conquistata dalle truppe naziste, entra a far parte, insieme all'Estonia e alla Bielorussia, di un *Ostland* controllato dal Terzo Reich che rimane in vita fino all'autunno del 1944, quando l'Armata Rossa, avanzando verso Ovest, rioccupa definitivamente l'intera regione baltica.

Licy intraprende l'ultimo viaggio per Stomersee nell'agosto del 1942. Prima della partenza, Giuseppe, scrivendole a Roma, le aveva espresso la sua angoscia di saperla fra poco da sola, così lontana e in mezzo a tanti pericoli: «[...] la sola cosa che mi consola un poco è pensare che, dopotutto, questa partenza è l'inizio del tuo ritorno, poiché evidentemente non vorrai imbarcarti a passare un inverno laggiù, in quelle condizioni. E così penso che tra tre o quattro mesi ritornerai all'ovile per triste e malinconico che questo ovile possa essere [...]».

Arrivata a Riga, sullo sfondo di una situazione che si presenta precaria e carica di tensioni, Licy cerca di far presidiare il castello, disposta anche a cederne una parte, se necessario, purché le venga permesso di rimanervi.

Assolda avvocati, fa continuamente la spola tra Riga e Stomersee, combatte con leggi che giorno dopo giorno si vanificano, compulsa disperatamente giornali che sfornano notizie contradditorie.

È rimasta completamente sola: i suoi amici, i conoscenti, "la gente del Baltico" che ha popolato la sua infanzia, tutti si sono dispersi e del suo mondo non esiste più nessuno. Solo le "cose" restano ancora: i colori, gli odori, i paesaggi, le architetture, la sua casa. «Questo mondo mi fa un'impressione terribile poiché è nello stesso tempo completamente vuoto e desolato e soffocantemente pieno, invece, di tutt'altro genere di persone».

Odia i sovietici con tutto il suo essere per quell'antisovietismo viscerale che affonda le sue radici in un sentimento sia nazionale che sociale. Ma al tempo stesso disprezza totalmente i nazisti per motivi non solo politici ma anche culturali.

Con Giuseppe si scrivono reciprocamente: «Tu n'as pas idée de ce que c'est que ma vie ici». «Mon pauvre Chou, je me rends compte que tu n'as la moindre idée de ma vie à Palermo». Mentre lui naviga nel fluido, nel vuoto e nella noia, lei è percorsa da incredibili furori: «[...] et tout ceci n'est pas assez? Et que veut-on? Si c'est ma peau on l'aura. Au revoir mon Petit».*

Lo spirito di Licy è dunque quanto mai battagliero ma, in fondo al cuore, le si è annidato un senso tremendo di pena e di paura che ritorna continuamente a galla: «[...] peur du tour muet de tous les instants qui représente ta continuelle pensée: et ceci, est ce que ce sera pour la dernière fois?».**

E l'ultima volta arriva nel dicembre 1942. Nell'aria c'è già quello che Shakespeare nell'*Enrico V* chiama «the turn of the tide», il capovolgersi della marea, il mutare della sorte: il 19 novembre a Stalingrado inizia la controffensiva sovietica. In quell'inverno gelido non si può restare un giorno di più e, prima di Natale, Alessandra ritorna a Roma. Con la fine del '44, incorporate di nuovo nell'Unione Sovietica le repubbliche baltiche, vengono definitivamente nazionalizzate le vecchie proprietà terriere. Tutto questo vuol

* (Giuseppe): «Non hai idea di che cosa sia la mia vita qui»; «Mio povero Tesoro, mi rendo conto che non hai la minima idea della mia vita a Palermo». (Licy): «[...] e tutto questo non è abbastanza? E che cosa si vuole? Se è la mia pelle l'avranno. Arrivederci Piccolo mio».

** «[...] paura dell'avvitarsi silenzioso di ogni momento che rappresenta il tuo continuo pensiero: e tutto questo non sarà per l'ultima volta?».

dire per Licy che non potrà più tornare a Stomersee.

Il castello ancora oggi è intatto, con i suoi boschi, il lago e le torri quadrate: ha, a lungo, ospitato una scuola agraria. Da qualche parte, in un cassetto di casa Biancheri, c'è una cartolina virata sul giallino con una scritta in russo. Fu portata, parecchi anni fa, da due studenti lettoni in viaggio di studio che avevano voluto rintracciare Alessandra Wolff, l'antica proprietaria del castello di Stomersee dove avevano studiato: dalla cartolina lo si vede rimasto intatto. Ma Licy non amò quella visita. Teneva sempre una valigia pronta in un angolo della sua camera da letto, «pronta per ritornare a casa», e raccontava ai pazienti che la perdita delle sue terre nel Baltico era stato il dolore più grande della sua vita.

E poi? E poi, seguendo Stendhal: «Ici nous demandons la permission de passer, sans en dire un seul mot, sur un espace de sept années».[1]

Tra il bombardamento di Palermo e il 1950 non ci sono lettere fra Giuseppe e Licy: l'aver perso ognuno la propria casa dà al loro matrimonio un assetto più tradizionale. Vivono molto insieme. Tuttavia qualche parola bisognerà dirla.

Alessandra, in quegli anni, si concentra totalmente sul suo lavoro.

È il periodo aureo della rinascita della Società Psicoanalitica Italiana. Nel 1946 organizza con Nicola Perrotti, Cesare Musatti e Emilio Servadio il Primo Congresso Nazionale di Psicoanalisi, dove presenta un lavoro importante: *Sviluppi della diagnostica e tecnica psicoanalitica*.

Poi via via, fra Palermo e Roma, forma un piccolo gruppo di pazienti, di allievi, organizza seminari, dà consulenze. La frequentazione intensa dei testi di Freud l'ha resa una freudiana intransigente. Dopo alterne vicende Giuseppe e Licy vanno a vivere nel palazzo di via Butera, già appartenuto alla famiglia, poi venduto, adesso riacquistato, ed è lì che Licy lavora la notte fino a molto molto tardi, come faceva a Stomersee, in quello che è adesso il suo salotto, camera da letto, studio per i pazienti, con le grandi finestre sulle Mura delle Cattive, davanti al mare del Foro Italico a Palermo.

La giornata, per lei, inizia tardissimo, quasi sempre dopo mezzogiorno, e il pomeriggio è tutto dedicato ai pazienti, fino all'ora delle tarde cene palermitane, le nove, anche le dieci. La cena di casa Lampedusa è praticamente inesistente da un punto di vista gastronomico, ma si parla di letteratura, si ascolta musica, ci si scambiano libri, versi, piccole notizie sul "mondo di fuori". È il momento in cui Licy si ritrova con Giuseppe, fino alla mezzanotte, quando è l'ora di rimettersi a studiare.

Giuseppe, dopo quel fatidico 5 aprile 1943, sembra essersi inabissato, come fanno i fiumi carsici.

Continua a tessere la trama dei suoi percorsi di sempre: la via Maqueda, i Quattro Canti, via Ruggero Settimo, il caffè del Massimo o la Pasticceria Mazzara, Caflish, per leggere, la libreria Flaccovio per vedere se sono arrivati i libri ordinati, quasi sempre le amate e costosissime *Pléiades*. Per il resto è molto solo.

Negli anni più spesso si fa sentire la «zampa malata», «ma patte»: è la flebite.

Cammina con fatica e ogni tanto si deve fermare. Tutto intorno a via Butera vi sono macerie che nessuno rimuoverà mai più: la Palermo della ricostruzione va verso via Lazio e le strade dei «Falansterii di quindici piani». «Farouche, soupçonneux, triste et mélancolique» recita da Ronsard, e il verso lo descrive come in un ritratto.

Alla fine del '46 muore donna Beatrice Tasca, la madre.

All'improvviso, così come repentinamente si sono inabissati, i fiumi carsici repentinamente tornano alla luce.

Primavera del 1950, Licy è a Roma. Prepara il Secondo Congresso della SPI dove presenterà un lavoro dal titolo *L'aggressività nelle perversioni*. Fra conferenze, riunioni, interviste alla radio, spedisce a Giuseppe lettere illustrate da piccoli schizzi esplicativi, o corredate da fotografie insieme ai congressisti. In seno alla Società c'è aria di scissione e lei evidentemente esprime le sue preoccupazioni a proposito. Giuseppe si delizia con le illustrazioni, approva regolarmente la pelliccia di lontra con cui lei appare nelle foto, il vestito nero nuovo, «très bien le chapeau».

È molto fiero dei successi della moglie e non ha dubbio che il congresso dovrà fare i conti con quell'inconfondibile «Lyon's roar della principessa Lampedusa», dà consigli su come correggere le bozze, e le raccomanda: «prudenza».

C'est le moment où les yeux du public s'ouvrent à la lumière psychanalytique et tout le monde se jette sur les trop rares représentants italiens de cette science. Et quels représentants! Je frémis en pensant à ce qui va arriver à Perrotti, fondateur d'une nouvelle école! Il possède évidemment, chose rare ici, l'âme pudibonde d'un pasteur suisse et veut se créer une P.A. de sa façon, avec bergers jouant de la flûte sur les prés et grand «finale» de vingt-quatre danseuses gambadant devant le Soleil de l'Avenir qui se lève à l'Horizon.

Mais réfléchis que tu te lances dans des choses très compliquées et ennuyeuses.

La P.A. en Italie, telle qu'elle est, pourrait-elle survivre à une scission de la Société?*

Racconta anche che le *chiennottes* del momento sono in gran forma e hanno divorato la foto più bella di Alessandra con Perrotti e Modigliani:

* «È il momento in cui gli occhi del pubblico si aprono alla luce psicoanalitica e si gettano sui troppi rari rappresentanti italiani di questa scienza. E che rappresentanti! Fremo pensando a quello che succederà a Perrotti, fondatore di una nuova scuola! Lui ha, fatto raro da noi, l'anima pudibonda di un pastore svizzero e vuole crearsi una P.A. *[Psicoanalisi]* a modo suo, con pastori che suonano il flauto sui prati e gran finale di ventiquattro ballerine saltellanti davanti al Sole dell'Avvenire che si alza all'Orizzonte.

«Rifletti però che ti stai lanciando in cose molto complicate e noiose. E poi la P.A., così com'è, potrà sopravvivere ad una scissione della Società?».

«the sweetest of rogues», la più dolce delle canaglie, commenta compiaciuto. Insomma l'atmosfera è serena.

Per quel che lo riguarda:

Je me suis mis à relire Balzac et m'aperçois que c'est un auteur qu'il faut lire à 50 ans passés. Il me plait infiniment plus qu'avant, car je peux comparer mes expériences avec ses prodigieuses intuitions. J'ai relu *La rabouilleuse*, la *Vieille Fille*, le *Cabinet des Antiques*, la *Muse du Département* et je suis plongé dans *Illusions perdues*. Avant hier à la Pasticceria du Massimo je suis resté de 1 à 5 heures à lire toute la *Vieille Fille*, je croyais que seulement une heure s'était passée! J'ai eu l'impression d'assister à un film. Quel talent, nom d'un chien! Et non seulement talent de romancier mais aussi de grand historien.

Quels jugements pénétrants et détachés sur les classes sociales et leurs métamorphoses; comme son vilain style devient admirable à force de s'adapter à ce qu'il écrit! Il faut un peu s'arrêter après avoir lu ses savoureuses descriptions de mobilier et de personnes, se bien les repasser dans la mémoire et les disposer comme sur une scène; après ça quand on continue à lire on a cet étonnant effet du «film». Et quel film! Arrangé par un régisseur superlatif et joué par des acteurs comme il n'y en a pas.*

* «Mi sono messo a rileggere Balzac e mi accorgo che è un autore da leggere dopo i 50 anni. Mi piace infinitamente più di prima perché posso paragonare le mie esperienze con le sue prodigiose intuizioni. Ho riletto *La rabouilleuse [Casa da scapolo]*, la *Vieille Fille [La signorina Cormon]*, il

In questo piccolo gruppo di lettere del '50, spedite ad Alessandra che in quel momento è a Roma, la calligrafia è assai composta, quasi in ranghi serrati: con il passare degli anni si è fatta appena più minuta, come forse più lieve, più stanca, si è fatta la pressione del segno. Il tono invece è brillante, ciarliero, e i fogli, a riprova, ogni volta sono quattro, cinque, anche sei o sette.

Gli argomenti? Quelli di sempre, compresa la noia a fare da immancabile comprimaria delle giornate palermitane; ma è sostenuta con un garbo sapiente, come il braccio offerto ad una anziana signora. Fedeltà ad uno stile inconfondibile quindi, ma qualcosa risalta in modo evidente, ed è un'insolita carnalità che sembra sottendere il rapporto con la lettura:

Cabinet des Antiques, la *Muse du Département [La musa del Dipartimento]* e sono immerso nelle *Illusions perdues [Illusioni perdute]*. L'altro ieri alla Pasticceria del Massimo sono rimasto dall'1 alle 5 a leggere tutta la *Vieille Fille*. Pensavo che fosse passata solo un'ora! Ho avuto l'impressione di assistere ad un film. Che talento, accidenti! E non soltanto da romanziere ma anche da grande storico.

«Che giudizi penetranti e distaccati sulle classi sociali ed i loro cambiamenti: e come diventa mirabile quel suo brutto stile a forza di adattarsi a quello che scrive! Bisogna fermarsi un attimo dopo aver letto quelle sue descrizioni gustose di mobili e persone, imprimerle bene nella memoria e disporle come su di una scena. Dopo di che quando si continua a leggere si ha uno stupefacente effetto di "film". E che film! Messo in scena da un regista superbo e recitato da attori come non ne esistono».

c'è un'enfasi nuova del leggere, una voglia più grande di raccontarsi, tutte cose di sempre, forse, ma adesso hanno trovato una espressione che in questo carteggio prima non avevano. La lettera spedita a Licy nei giorni dopo il bombardamento era stata forse la lettera più "magra" mai scritta da Lampedusa. "Magra", fino all'afasia, con la scrittura confusa ed esasperata a sbavare le righe ed a scomporle via via, senza però venir meno, neppure in una situazione di così grave turbamento, a quel loro inflessibile codice dello scriversi in francese.

Continuando ad usare la terminologia lampedusiana, le lettere di questo periodo sono invece decisamente "grasse", rispetto al passato:

> Dans les longues soirées j'écoute beaucoup la radio. Il y a quelques jours j'ai écouté par hasard toute une comédie de Paris qui était à se tordre. Cela s'appelle *Les amis terribles*. J'ai aussi entendu *Il Turco in Italia* de Rossini qui m'a semblé un bijou, très injustement oublié. Naturellement je lis beaucoup. J'ai repris Balzac avec ma nouvelle méthode de bien me mettre dans la tête le plan des maisons et le mobilier et après de voir jouer là-dedans les personnages.
>
> L'effet est étonnant. J'ai relu de cette façon *La cousine Bette* et les étonnantes *Illusions perdues* et j'ai enfin compris pourquoi Proust préférait celui-ci à tous

les ronrons de la *Comédie humaine*. (A propos de Proust j'ai lu aussi un livre très curieux de Fallois qui donne la «clef» de tous les personnages de la *Recherche*. Albertine est tout simplement le chauffeur de Proust! Un italien appelé Agostinelli. Gilberte aussi est un monsieur. J'avoue que cela m'a quelque peu dégoûté. Mais ensuite j'ai relu quelques pages et l'étrange charme du style et de l'analyse m'a réconcilié).

Je suis en train de relire la deuxième partie de *Mémoires d'Autre Tombe*. Il y a là une description de Berlin encore provincial de 1882, tout tenu dans des tons gris et noirs qui est une merveille de délicatesse et de mélancolie. Mais je n'ai pu m'empêcher de rire tout tant quand Chateaubriand raconte comment le roi de Prusse l'a prié d'écrire des vers en mémoire de la reine Louise; il était alors ambassadeur de France à Berlin et j'ai pensé que c'était comme si à Londres on avait demandé à zio Pietro d'écrire une ode à la mémoire du Prince Albert. Les vers d'ailleurs n'auraient pas été plus mauvais: car ceux de Chateaubriand sont affreux.

Un écrivain qui est si grand poète en prose devient d'une platitude et d'une popote effrayante quand il fait des vers. Comme tu vois je fais des lectures «very sedate and improving».*

* «Nelle lunghe serate ascolto molto la radio. Qualche giorno fa ho ascoltato per caso tutta una commedia da Parigi che era da rotolarsi. Si chiama *Les amis terribles [Gli amici terribili]*. Ho anche ascoltato *Il Turco in Italia* di Rossini che mi è parso un gioiello, molto ingiustamente dimenticato. Naturalmente, leggo molto. Ho ripreso Balzac con il mio nuovo metodo di mettermi bene in testa la mappa della casa e l'arredamento, e, dopo, di vedervi recitare i personaggi.

Lampedusa si ricorderà di questo nuovo metodo di lettura cinematografica applicato a Balzac, più tardi, al momento di preparare le lezioni su Stendhal per il suo pubblichetto di amici e sodali quando, riferendosi all'ambiente de *Le Rouge et le Noir*, scriverà: «Ambiente – ci siamo arrivati – Stendhal non dispone della minuzia necessaria a descrivere edifici e mobili con la meticolosità da regista cinematografico dalla quale talvolta Balzac ha saputo estrarre grandiosi effetti poetici».

«L'effetto è stupefacente. Ho riletto in questo modo *La cousine Bette [La cugina Betta]* e quelle sorprendenti *Illusions perdues [Illusioni perdute]* ed ho capito finalmente perché Proust preferiva questo a tutti gli ammiccamenti della *Comédie humaine [La commedia umana]*. (A proposito di Proust, ho letto un libro, fra l'altro, molto curioso di Fallois che fornisce la "chiave" di tutti i personaggi della *Recherche*. Albertine non è né più né meno che l'autista di Proust! Un italiano che si chiama Agostinelli. Anche Gilberte è un uomo. Confesso che questo mi ha un po' disgustato. Ma, in seguito, ho riletto alcune pagine e lo strano fascino dello stile e delle analisi mi hanno riconciliato).

«Sto rileggendo la seconda parte delle *Mémoires d'Autre Tombe [Memorie d'Oltretomba]*. Vi è una descrizione della Berlino ancora provinciale del 1882, tutta tratteggiata in toni di grigio e di nero, che è una meraviglia di delicatezza e melanconia. Ma non ho potuto fare a meno di ridere quando Chateaubriand racconta di come il re di Prussia lo ha pregato di scrivere dei versi in memoria della regina Luisa; lui era all'epoca ambasciatore di Francia a Berlino ed io ho pensato che era come se a Londra avessero domandato allo zio Pietro di scrivere un'ode alla memoria del Principe Alberto. I versi d'altra parte non sarebbero potuti essere peggiori: infatti quelli di Chateaubriand sono orribili.

«Uno scrittore che in prosa è un poeta straordinario, diventa di una piattezza e di una banalità senza fine quando scrive versi. Come vedi faccio delle letture "very sedate and improving" *[quanto mai sobrie e benefiche]*».

Alla luce di un giudizio critico definitivo, l'autore del *Gattopardo* mostrerà di preferire «il nostro adorabile Stendhal», scrittore "magro" per eccellenza e maestro del suggerire, al "grasso" Balzac che nulla lascia all'immaginazione del lettore, ma, in quei giorni di convivenza stretta con l'inesauribile *Comédie humaine*, la vitalità serrata di quelle pagine sembra trasmetterglisi come un invito. L'ironia parigina si fonde mirabilmente con gli umori palermitani e diventa un *leitmotiv* ricorrente delle sue giornate. Come quando, per esempio, si reca al convento delle religiose del Sacro Cuore che fanno celebrare una messa per la famiglia Lampedusa. Una delle educande sviene a metà della funzione, suscitando il commento della madre superiora che il divertito Giuseppe trascrive e commenta a sua volta per Alessandra: «È la più grande di tutti, ha bisogno di un marito», «C'est pas du vrai Balzac? Ce n'est pas une phrase digne de lui?».

Naturalmente ci sono anche altre letture in questo periodo e spaziano da un testo di critica su Rimbaud, alla *Chronique de Vichy* di Martin du Gard, a tutta una serie di libri di storia sulla guerra della Vandea, con sempre qualche rapida incursione dalle parti di Proust per poi subito ritornare all'amato del momento:

Tout de suite après j'ai voulu relire *Les Chouans* de Balzac. J'ai été frappé: c'est que c'est, mon Dieu, que d'avoir du génie! Tout y est, exact, méticuleux, plein de couleur: les caractères sont parfaits (on dit qu'ils sont exagérés mais quand on a lu les sources on s'aperçoit que «se mai» they are al di sotto del vero). Le paysage est là devant toi, les trahisons, les bassesses, les «doppi giochi», tout exposé avec l'impartialité du vrai grand talent. Et dire qu'il est son premier roman sérieux! (1829).

Ânes bâtés nous sommes nés, ânes bâtés nous mourrons!*

Dice James Hillman, parlando dello sviluppo intellettuale di una personalità, che in realtà la mente non lavora per gradi: «[...] è vero invece che essa riempie le sue lacune. Diventiamo consapevoli di una lacuna, e questa lacuna, in un

* «Subito dopo ho voluto rileggere *Les Chouans [Gli Sciuani]* di Balzac. Sono rimasto folgorato: che cos'è, mio Dio, avere del genio! C'è tutto, esatto, meticoloso, pieno di colore: i caratteri sono perfetti (si dice che siano esagerati ma quando si sono lette le fonti ci si accorge che, se mai, sono al di sotto del vero). Il paesaggio è lì, davanti a te, i tradimenti, le volgarità, i "doppi giochi", tutto mostrato con l'imparzialità del vero grande talento. E dire che è il suo primo romanzo serio! (1829).

«Asini con il basto siamo nati, e asini con il basto moriremo!» *[esatta traduzione di un proverbio siciliano].*

certo senso affamata, comincia ad impadronirsi di qualche cosa, divorandola [...] così l'*opus* al quale si lavora è parte dell'operare su se stessi».[2]

Questa immagine dell'esser divorati, mangiati dalle nostre lacune sembra presiedere al trasporto con cui il nostro anziano signore solitario, "dall'aria di enorme felino assorto", descrive le sue letture balzacchiane e può illuminare la ritrovata vitalità che viene ad animare il Lampedusa di quegli anni.

Si percepisce nettamente che qualcosa lavora nel fondo. Quelle frasi che ritornano spesso a proposito del saper scrivere un romanzo:

«Quel talent, nom d'un chien!», «Ce que c'est, mon Dieu, que d'avoir du génie!», «Ânes bâtés nous sommes nés, ânes bâtés nous mourrons», non sembrano provenire dal profondo di qualcuno che sta finalmente meditando di scendere sullo stesso terreno? Di qualcuno che in realtà sta pensando «di non essere più fesso di loro»? E, insomma, «qu'il est ridicule d'attendre ainsi [...]».

«La dernière nuit que j'ai passé à Capo j'ai eu un rêve très étrange et assez sinistre».

Note

Introduzione all'edizione del 1987

[1] Cfr. F. Pavone, *Bibliografia di Tomasi di Lampedusa*, «Rivista Storica Siciliana», n. 10, aprile 1979. Da quell'anno le pubblicazioni uscite su Tomasi di Lampedusa sono numerosissime.

[2] Quasi tutto questo carteggio è in francese. Si sono tradotte direttamente nel testo le lettere di Licy a Giuseppe, mentre le lettere di Giuseppe, sempre in francese, hanno la traduzione a piè di pagina.

Capitolo primo

[1] G. Tomasi di Lampedusa, *Il Gattopardo*, Feltrinelli, Milano 1958, p. 287.

[2] *Ibidem*, p. 286.

[3] Marie-Louise von Franz, *La morte e i sogni*, Bollati Boringhieri, Torino 1986, *passim*.

[4] Cfr. J. Hillman, *Il sogno ed il mondo infero*, Ed. di Comunità, Milano 1984, p. 170; *Dictionnaire des symboles*, R. Laffont/Jupiter, Paris 1982.

[5] Dal racconto *I luoghi della mia prima infanzia*, in G. Tomasi di Lampedusa, *I racconti*, Feltrinelli, Milano 1961, p. 110.

[6] G. Tomasi di Lampedusa, *Il Gattopardo*, cit., p. 186.

[7] Cfr. E. Bernhard, *Mitobiografia*, Adelphi, Milano 1969, p. 102, e R. M. Rilke, *Requiem per un'amica,* scritto il 31 ottobre 1908 (traduzione dell'autore).

[8] Cfr. la lettera pubblicata su «L'Espresso», 8.1.1984, «*Perché ho scritto il Gattopardo*», all'amico Guido Lajolo trasferitosi in Brasile.

[9] In G. Tomasi di Lampedusa, *Lighea*, in Id., *I racconti*, cit., p. 42: «In 12 ore avevo perduto due ragazze utilmente complementari fra di loro più un "pull over" al quale tenevo: avevo anche dovuto pagare le consumazioni dell'infernale Tonino. *Il mio sicilianissimo amor proprio era umiliato: ero stato fatto fesso [...]*».

[10] F. Orlando, *Ricordo di Lampedusa*, All'Insegna del Pesce d'Oro, Milano 1963, p. 61.

[11] *Ibidem*, p. 48.

[12] *Ibidem*, p. 49.

[13] L. Tolstoi, *Guerra e pace*, BMM, Milano 1951, p. 8.

[14] *Ibidem*, p. 91.

[15] G.P. Samonà, *Il Gattopardo – I Racconti – Lampedusa*, La Nuova Italia, Firenze 1974, p. 57.

[16] F. Orlando, *Ricordo di Lampedusa*, cit., p. 88.

[17] G. Macchia, *Il Principe di Palagonia*, Mondadori, Milano 1978, p. 50 e pp. 56-57.

[18] Cfr. G. Tomasi di Lampedusa, *Il Gattopardo*, cit., p. 20.

[19] P. Renard, prefazione a G. Tomasi di Lampedusa, *Lezioni su Stendhal*, Sellerio, Palermo 1977.

Capitolo secondo

[1] Cfr. A. Kurcijs, *Non io*, nella versione di E. Serra, *Poeti Lettoni contemporanei*, Ceschina, Milano 1963.

[2] K. Geiringer, *Brahms: sua vita e sue opere*, Ricordi, Milano 1952.

[3] D. Mack Smith, *Storia della Sicilia medioevale e moderna*, Laterza, Bari 1978.

[4] K. Blixen, *Il pranzo di Babette*, in *Capricci del destino*, Feltrinelli, Milano 1966.

[5] Citato da Gioacchino Lanza Tomasi nella sua introduzione a *Cucina vegetariana e naturismo crudo* di Enrico Alliata di Salaparuta nell'edizione Sellerio, Palermo 1985.

[6] F. Orlando, *Ricordo di Lampedusa*, cit., *passim*.

[7] Cfr. E. Bernhard, *Il complesso della Grande Madre – problemi e possibilità della psicologia analitica in Italia,* in Id., *Mitobiografia*, cit., p. 170.

[8] I. Deutscher, *Il profeta disarmato: Leone Trotskij 1921-1929*, Longanesi, Milano 1961.

Capitolo terzo

[1] F. Nietzsche, *La Gaia Scienza*, trad. A. Cippico, Fratelli Bocca Editori, Torino 1905, Libro VI, p. 195.

[2] Dal racconto *I luoghi della mia prima infanzia*, in G. Tomasi di Lampedusa, *I racconti*, cit., pp. 91-92.

[3] F. Orlando, *Ricordo di Lampedusa*, cit., p. 76.

[4] L. Piccolo, *La Torre*, da Id., *La Seta e altre poesie inedite e sparse*, All'Insegna del Pesce d'Oro, Milano 1984.

[5] G. Lanza Tomasi, introduzione a *Cucina vegetariana e naturismo crudo* di Enrico Alliata di Salaparuta, cit.

[6] Cfr. F. Orlando, *Ricordo di Lampedusa*, cit., p. 72.
[7] Dal racconto *I luoghi della mia prima infanzia*, in G. Tomasi di Lampedusa, *I racconti*, cit., p. 111.
[8] Cfr. W. B. Yeats, *Fiabe irlandesi,* Einaudi, Torino 1981. Brano citato da Giorgio Cusatelli in *Ucci Ucci*, Emme Edizioni, Milano 1983.
[9] Cfr. L. Piccolo, *La Seta*, cit.
[10] G. Tomasi di Lampedusa, *Il Gattopardo*, cit., pp. 272-273.

Capitolo quarto

[1] Cfr. Dal racconto *I luoghi della mia prima infanzia*, in G. Tomasi di Lampedusa, *I racconti*, cit., p. 86.
[2] *Ibidem*, p. 85.
[3] J. Milton, *Paradiso perduto*, Istituto Editoriale Italiano, Milano [1930], libro IX, vv. 115-117.
[4] Cfr. R. Trevelyan, *Principi sotto il vulcano,* Rizzoli, Milano 1975, p. 378. Trevelyan, erroneamente, attribuisce al Palazzo Lampedusa alla Marina i «balconi dorati» del Palazzo di Città.
[5] Dal racconto *I luoghi della mia prima infanzia*, in G. Tomasi di Lampedusa, *I racconti*, cit., pp. 89-90.

Capitolo quinto

[1] «Ici nous demandons la permission de passer, sans en dire un seul mot, sur un espace de trois années», così Stendhal nella *Chartreuse de Parme.*
[2] J. Hillman, *Intervista su amore anima e psiche*, a cura di Marina Beer, Laterza, Bari 1983, p. 6.

La guerriera e il goloso

di

Giorgio Manganelli

Il testo di Giorgio Manganelli è apparso sul «Messaggero» del 4 ottobre 1987 come recensione alla prima edizione di *Lettere a Licy. Un matrimonio epistolare*.

Si ritiene, con qualche incautela, che le vite degli scrittori siano naturalmente eccitanti, emotivamente fascinose, intelligenti. Può essere. Mi pare tuttavia che codeste vite siano spesso abbagliate dalla luce del genio, e inamidate dalla mano energica del destino. E se provassimo con uno scrittore di dubbia vocazione, magari uno scrittore che non ha mai saputo di esserlo? Qualcuno che poco ha scritto prima di quei mesi strani, pletorici, coatti, durante i quali ha scritto il suo Grande Libro, destinato ad apparire postumo.

Tanto ha fatto Caterina Cardona con Giuseppe Tomasi di Lampedusa, autore in qualche modo ignaro del conflittuale, opinabile, invadente *Gattopardo*. Non propriamente scrittore, se non in rari momenti e in quella feroce epifania finale, tra malattia e penso scolastico. In verità, in queste *Lettere a Licy* poco si parla del *Gattopardo*, deposito di preziose citazioni; né si parla delle ambasce di Lampedusa più lettore poliglotta che letterato; ma piuttosto di un Lampedusa più scrivente che scrittore. Il libro ha una sua ingegnosa grazia, tra maligna e maliziosa, giacché tema della ricerca è l'epistolario tra Tomasi di Lampedusa e la moglie, la baltica nobildonna Alessandra Wolff, la Licy del Lampedusa.

Singolarissima coppia: Tomasi di Lampedusa è un nobile siciliano, istituzione che a torto riteniamo esista solo nei racconti di Capuana; come tale, egli è colto, neghittoso, sentimentale, goloso, poliglotta e cinofilo; dall'altra parte, si aderge, gagliarda dirimpettaia, la figura soda, anche un po' interita, della moglie Alessandra; una sorta di regina boreale che ha per reggia un castello tedesco in terra di Lettonia; castello che per lei è la dimora in assoluto, fortezza e magione, luogo membruto di poderose mura; mentre per Lampedusa la casa, non già reggia, è la stanza dove è vissuto, a pochi passi dalla stanza dove è nato, luogo che dovrebbe essere sacro alla sua vita e alla sua morte. Ma il destino ha le sue iracondie: il castello baltico nella guerra perde la sua qualità araldica; la casa dei Lampedusa scompare, frantumata dalle bombe.

Tra i coniugi, non v'è dubbio che la moglie sia figura più rilevata; per cui il libro tratta di uno scrittore, ma non in quanto scrittore; da protagonista lo declassa a deuteragonista, insomma il discorso tratta più della impettita moglie Alessandra che del gentile nobile siciliano. Dall'epistolario dei coniugi, non di rado lontani, ciascuno intento al possesso delle diverse e distanti dimore, emerge una immagine di Alessandra complessa, difficile; psicoanalista, anzi fondatrice della Società Psicoanalitica Italiana, testa di scienziata e avida scrutatrice di anime, di una prensilità impetuosa, una sottigliezza acre, una urgenza signorile; e costei il marito tenta di irretire nel discorso languido, emotivo, sensibile, impreciso, affettuosamente ansioso, che egli articola nel suo francese; infatti, il siciliano e la baltica, coniugi poliglotti, si scrivono quasi esclusivamente in francese, e su questa arguzia di suoni e del lessico Caterina Cardona scrive cose assai sottili, indicando un gioco della psiche, una astuzia della intelligenza e degli affetti in questa strana traduzione.

Tradurre è come occultarsi, svelarsi a mezzo, travestirsi; la lingua estranea, non vissuta, funziona come una preziosa maschera, che mescola colpevolezza e innocenza, confessione e reticenza: «un approccio sempre schermato alle cose della vita».

La grazia – direi, traducendo, lo *charme* – dell'epistolario sta nella affettuosa inanità del carteggio tra coniugi insieme legati e lontani, vincolati a luoghi, a vocazioni imperative e oscuramente dissone. Le lettere costituiscono un disegno mentale, la geometria di uno spazio deserto, tracciano linee asseverative e instabili, gesti intensi e precari. Alessandra sta di guardia sulla soglia delle favolose foreste baltiche, guerriera che ama i castelli, i duri ed esigenti freddi, che con mani forti, con dita esatte affronta e districa in una mente turbata la feroce complicità dell'incesto e dell'omicidio; ma forse da questa intensa figura rimbalza una tenera grazia sulla figura del marito, sulla sua trepida crucciosità di custode della propria infanzia, patetico cronista di angosce e sventure, mirabile catalogatore di cibi, conoscitore di siciliani paesaggi di dolciumi.

E il *Gattopardo*? Il Lampedusa aveva dei cugini, i Piccolo, che indulgevano ad eccessi linguistici – anche il persiano – ed uno dei quali si rivelò poeta. Pare che il Lampedusa, stizzito per tanta bravura, abbia voluto dimostrare che neanche lui era «fesso» (testuale). E si mise a scrivere. E quel che abbia, poi, scritto, è ancor oggi materia di sottili e impetuosi conflitti.

GIORGIO MANGANELLI

[illegible] possiamo – ed uno dei quali [illegible]

[illegible]

per una [illegible] direzione che

[illegible]

[illegible] Casa

[illegible] contatti.

[illegible]

Indice

Questo volume è stato stampato
su carta Grifo vergata
delle Cartiere di Fabriano
nel mese di marzo 2023

Stampa: Officine Grafiche soc. coop., Palermo

Legatura: LE.I.MA. s.r.l., Palermo

La memoria

Ultimi volumi pubblicati

901 Colin Dexter. Niente vacanze per l'ispettore Morse
902 Francesco M. Cataluccio. L'ambaradan delle quisquiglie
903 Giuseppe Barbera. Conca d'oro
904 Andrea Camilleri. Una voce di notte
905 Giuseppe Scaraffia. I piaceri dei grandi
906 Sergio Valzania. La Bolla d'oro
907 Héctor Abad Faciolince. Trattato di culinaria per donne tristi
908 Mario Giorgianni. La forma della sorte
909 Marco Malvaldi. Milioni di milioni
910 Bill James. Il mattatore
911 Esmahan Aykol, Andrea Camilleri, Gian Mauro Costa, Marco Malvaldi, Antonio Manzini, Francesco Recami. Capodanno in giallo
912 Alicia Giménez-Bartlett. Gli onori di casa
913 Giuseppe Tornatore. La migliore offerta
914 Vincenzo Consolo. Esercizi di cronaca
915 Stanisław Lem. Solaris
916 Antonio Manzini. Pista nera
917 Xiao Bai. Intrigo a Shanghai
918 Ben Pastor. Il cielo di stagno
919 Andrea Camilleri. La rivoluzione della luna
920 Colin Dexter. L'ispettore Morse e le morti di Jericho
921 Paolo Di Stefano. Giallo d'Avola
922 Francesco M. Cataluccio. La memoria degli Uffizi
923 Alan Bradley. Aringhe rosse senza mostarda
924 Davide Enia. maggio '43
925 Andrea Molesini. La primavera del lupo
926 Eugenio Baroncelli. Pagine bianche. 55 libri che non ho scritto
927 Roberto Mazzucco. I sicari di Trastevere
928 Ignazio Buttitta. La peddi nova
929 Andrea Camilleri. Un covo di vipere

930 Lawrence Block. Un'altra notte a Brooklyn
931 Francesco Recami. Il segreto di Angela
932 Andrea Camilleri, Gian Mauro Costa, Alicia Giménez-Bartlett, Marco Malvaldi, Antonio Manzini, Francesco Recami. Ferragosto in giallo
933 Alicia Giménez-Bartlett. Segreta Penelope
934 Bill James. Tip Top
935 Davide Camarrone. L'ultima indagine del Commissario
936 Storie della Resistenza
937 John Glassco. Memorie di Montparnasse
938 Marco Malvaldi. Argento vivo
939 Andrea Camilleri. La banda Sacco
940 Ben Pastor. Luna bugiarda
941 Santo Piazzese. Blues di mezz'autunno
942 Alan Bradley. Il Natale di Flavia de Luce
943 Margaret Doody. Aristotele nel regno di Alessandro
944 Maurizio de Giovanni, Alicia Giménez-Bartlett, Bill James, Marco Malvaldi, Antonio Manzini, Francesco Recami. Regalo di Natale
945 Anthony Trollope. Orley Farm
946 Adriano Sofri. Machiavelli, Tupac e la Principessa
947 Antonio Manzini. La costola di Adamo
948 Lorenza Mazzetti. Diario londinese
949 Gian Mauro Costa, Alicia Giménez-Bartlett, Marco Malvaldi, Antonio Manzini, Francesco Recami. Carnevale in giallo
950 Marco Steiner. Il corvo di pietra
951 Colin Dexter. Il mistero del terzo miglio
952 Jennifer Worth. Chiamate la levatrice
953 Andrea Camilleri. Inseguendo un'ombra
954 Nicola Fantini, Laura Pariani. Nostra Signora degli scorpioni
955 Davide Camarrone. Lampaduza
956 José Roman. Chez Maxim's. Ricordi di un fattorino
957 Luciano Canfora. 1914
958 Alessandro Robecchi. Questa non è una canzone d'amore
959 Gian Mauro Costa. L'ultima scommessa
960 Giorgio Fontana. Morte di un uomo felice
961 Andrea Molesini. Presagio
962 La partita di pallone. Storie di calcio
963 Andrea Camilleri. La piramide di fango
964 Beda Romano. Il ragazzo di Erfurt
965 Anthony Trollope. Il Primo Ministro
966 Francesco Recami. Il caso Kakoiannis-Sforza
967 Alan Bradley. A spasso tra le tombe
968 Claudio Coletta. Amstel blues

969 Alicia Giménez-Bartlett, Marco Malvaldi, Antonio Manzini, Francesco Recami, Alessandro Robecchi, Gaetano Savatteri. Vacanze in giallo
970 Carlo Flamigni. La compagnia di Ramazzotto
971 Alicia Giménez-Bartlett. Dove nessuno ti troverà
972 Colin Dexter. Il segreto della camera 3
973 Adriano Sofri. Reagì Mauro Rostagno sorridendo
974 Augusto De Angelis. Il canotto insanguinato
975 Esmahan Aykol. Tango a Istanbul
976 Josefina Aldecoa. Storia di una maestra
977 Marco Malvaldi. Il telefono senza fili
978 Franco Lorenzoni. I bambini pensano grande
979 Eugenio Baroncelli. Gli incantevoli scarti. Cento romanzi di cento parole
980 Andrea Camilleri. Morte in mare aperto e altre indagini del giovane Montalbano
981 Ben Pastor. La strada per Itaca
982 Esmahan Aykol, Alan Bradley, Gian Mauro Costa, Maurizio de Giovanni, Nicola Fantini e Laura Pariani, Alicia Giménez-Bartlett, Francesco Recami. La scuola in giallo
983 Antonio Manzini. Non è stagione
984 Antoine de Saint-Exupéry. Il Piccolo Principe
985 Martin Suter. Allmen e le dalie
986 Piero Violante. Swinging Palermo
987 Marco Balzano, Francesco M. Cataluccio, Neige De Benedetti, Paolo Di Stefano, Giorgio Fontana, Helena Janeczek. Milano
988 Colin Dexter. La fanciulla è morta
989 Manuel Vázquez Montalbán. Galíndez
990 Federico Maria Sardelli. L'affare Vivaldi
991 Alessandro Robecchi. Dove sei stanotte
992 Nicola Fantini e Laura Pariani, Marco Malvaldi, Dominique Manotti, Antonio Manzini, Francesco Recami, Gaetano Savatteri. La crisi in giallo
993 Jennifer. Worth. Tra le vite di Londra
994 Hai voluto la bicicletta. Il piacere della fatica
995 Alan Bradley. Un segreto per Flavia de Luce
996 Giampaolo Simi. Cosa resta di noi
997 Alessandro Barbero. Il divano di Istanbul
998 Scott Spencer. Un amore senza fine
999 Antonio Tabucchi. La nostalgia del possibile
1000 La memoria di Elvira
1001 Andrea Camilleri. La giostra degli scambi
1002 Enrico Deaglio. Storia vera e terribile tra Sicilia e America

1003 Francesco Recami. L'uomo con la valigia
1004 Fabio Stassi. Fumisteria
1005 Alicia Giménez-Bartlett, Marco Malvaldi, Antonio Manzini, Santo Piazzese, Francesco Recami, Gaetano Savatteri. Turisti in giallo
1006 Bill James. Un taglio radicale
1007 Alexander Langer. Il viaggiatore leggero. Scritti 1961-1995
1008 Antonio Manzini. Era di maggio
1009 Alicia Giménez-Bartlett. Sei casi per Petra Delicado
1010 Ben Pastor. Kaputt Mundi
1011 Nino Vetri. Il Michelangelo
1012 Andrea Camilleri. Le vichinghe volanti e altre storie d'amore a Vigàta
1013 Elvio Fassone. Fine pena: ora
1014 Dominique Manotti. Oro nero
1015 Marco Steiner. Oltremare
1016 Marco Malvaldi. Buchi nella sabbia
1017 Pamela Lyndon Travers. Zia Sass
1018 Giosuè Calaciura, Gianni Di Gregorio, Antonio Manzini, Fabio Stassi, Giordano Tedoldi, Chiara Valerio. Storie dalla città eterna
1019 Giuseppe Tornatore. La corrispondenza
1020 Rudi Assuntino, Wlodek Goldkorn. Il guardiano. Marek Edelman racconta
1021 Antonio Manzini. Cinque indagini romane per Rocco Schiavone
1022 Lodovico Festa. La provvidenza rossa
1023 Giuseppe Scaraffia. Il demone della frivolezza
1024 Colin Dexter. Il gioiello che era nostro
1025 Alessandro Robecchi. Di rabbia e di vento
1026 Yasmina Khadra. L'attentato
1027 Maj Sjöwall, Tomas Ross. La donna che sembrava Greta Garbo
1028 Daria Galateria. L'etichetta alla corte di Versailles. Dizionario dei privilegi nell'età del Re Sole
1029 Marco Balzano. Il figlio del figlio
1030 Marco Malvaldi. La battaglia navale
1031 Fabio Stassi. La lettrice scomparsa
1032 Esmahan Aykol, Gian Mauro Costa, Alicia Giménez-Bartlett, Marco Malvaldi, Antonio Manzini, Francesco Recami, Gaetano Savatteri. Il calcio in giallo
1033 Sergej Dovlatov. Taccuini
1034 Andrea Camilleri. L'altro capo del filo
1035 Francesco Recami. Morte di un ex tappezziere
1036 Alan Bradley. Flavia de Luce e il delitto nel campo dei cetrioli
1037 Manuel Vázquez Montalbán. Io, Franco
1038 Antonio Manzini. 7-7-2007
1039 Luigi Natoli. I Beati Paoli

1040 Gaetano Savatteri. La fabbrica delle stelle
1041 Giorgio Fontana. Un solo paradiso
1042 Dominique Manotti. Il sentiero della speranza
1043 Marco Malvaldi. Sei casi al BarLume
1044 Ben Pastor. I piccoli fuochi
1045 Luciano Canfora. 1956. L'anno spartiacque
1046 Andrea Camilleri. La cappella di famiglia e altre storie di Vigàta
1047 Nicola Fantini, Laura Pariani. Che Guevara aveva un gallo
1048 Colin Dexter. La strada nel bosco
1049 Claudio Coletta. Il manoscritto di Dante
1050 Giosuè Calaciura, Andrea Camilleri, Francesco M. Cataluccio, Alicia Giménez-Bartlett, Antonio Manzini, Francesco Recami, Fabio Stassi. Storie di Natale
1051 Alessandro Robecchi. Torto marcio
1052 Bill James. Uccidimi
1053 Alan Bradley. La morte non è cosa per ragazzine
1054 Émile Zola. Il denaro
1055 Andrea Camilleri. La mossa del cavallo
1056 Francesco Recami. Commedia nera n. 1
1057 Marco Consentino, Domenico Dodaro, Luigi Panella. I fantasmi dell'Impero
1058 Dominique Manotti. Le mani su Parigi
1059 Antonio Manzini. La giostra dei criceti
1060 Gaetano Savatteri. La congiura dei loquaci
1061 Sergio Valzania. Sparta e Atene. Il racconto di una guerra
1062 Heinz Rein. Berlino. Ultimo atto
1063 Honoré de Balzac. Albert Savarus
1064 Alicia Giménez-Bartlett, Marco Malvaldi, Antonio Manzini, Francesco Recami, Alessandro Robecchi, Gaetano Savatteri. Viaggiare in giallo
1065 Fabio Stassi. Angelica e le comete
1066 Andrea Camilleri. La rete di protezione
1067 Ben Pastor. Il morto in piazza
1068 Luigi Natoli. Coriolano della Floresta
1069 Francesco Recami. Sei storie della casa di ringhiera
1070 Giampaolo Simi. La ragazza sbagliata
1071 Alessandro Barbero. Federico il Grande
1072 Colin Dexter. Le figlie di Caino
1073 Antonio Manzini. Pulvis et umbra
1074 Jennifer Worth. Le ultime levatrici dell'East End
1075 Tiberio Mitri. La botta in testa
1076 Francesco Recami. L'errore di Platini
1077 Marco Malvaldi. Negli occhi di chi guarda
1078 Pietro Grossi. Pugni

1079 Edgardo Franzosini. Il mangiatore di carta. Alcuni anni della vita di Johann Ernst Biren
1080 Alan Bradley. Flavia de Luce e il cadavere nel camino
1081 Anthony Trollope. Potete perdonarla?
1082 Andrea Camilleri. Un mese con Montalbano
1083 Emilio Isgrò. Autocurriculum
1084 Cyril Hare. Un delitto inglese
1085 Simonetta Agnello Hornby, Esmahan Aykol, Andrea Camilleri, Gian Mauro Costa, Alicia Giménez-Bartlett, Marco Malvaldi, Antonio Manzini, Santo Piazzese, Francesco Recami, Alessandro Robecchi, Gaetano Savatteri, Fabio Stassi. Un anno in giallo
1086 Alessandro Robecchi. Follia maggiore
1087 S. N. Behrman. Duveen. Il re degli antiquari
1088 Andrea Camilleri. La scomparsa di Patò
1089 Gian Mauro Costa. Stella o croce
1090 Adriano Sofri. Una variazione di Kafka
1091 Giuseppe Tornatore, Massimo De Rita. Leningrado
1092 Alicia Giménez-Bartlett. Mio caro serial killer
1093 Walter Kempowski. Tutto per nulla
1094 Francesco Recami. La clinica Riposo & Pace. Commedia nera n. 2
1095 Margaret Doody. Aristotele e la Casa dei Venti
1096 Antonio Manzini. L'anello mancante. Cinque indagini di Rocco Schiavone
1097 Maria Attanasio. La ragazza di Marsiglia
1098 Duško Popov. Spia contro spia
1099 Fabio Stassi. Ogni coincidenza ha un'anima
1100
1101 Andrea Camilleri. Il metodo Catalanotti
1102 Giampaolo Simi. Come una famiglia
1103 P. T. Barnum. Battaglie e trionfi. Quarant'anni di ricordi
1104 Colin Dexter. La morte mi è vicina
1105 Marco Malvaldi. A bocce ferme
1106 Enrico Deaglio. La zia Irene e l'anarchico Tresca
1107 Len Deighton. SS-GB. I nazisti occupano Londra
1108 Maksim Gor'kij. Lenin, un uomo
1109 Ben Pastor. La notte delle stelle cadenti
1110 Antonio Manzini. Fate il vostro gioco
1111 Andrea Camilleri. Gli arancini di Montalbano
1112 Francesco Recami. Il diario segreto del cuore
1113 Salvatore Silvano Nigro. La funesta docilità
1114 Dominique Manotti. Vite bruciate
1115 Anthony Trollope. Phineas Finn
1116 Martin Suter. Il talento del cuoco

1117 John Julius Norwich. Breve storia della Sicilia
1118 Gaetano Savatteri. Il delitto di Kolymbetra
1119 Roberto Alajmo. Repertorio dei pazzi della città di Palermo
1120 Andrea Camilleri, Gian Mauro Costa, Alicia Giménez-Bartlett, Marco Malvaldi, Dominique Manotti, Santo Piazzese, Francesco Recami, Gaetano Savatteri. Una giornata in giallo
1121 Giosuè Calaciura. Il tram di Natale
1122 Antonio Manzini. Rien ne va plus
1123 Uwe Timm. Un mondo migliore
1124 Franco Lorenzoni. I bambini ci guardano. Una esperienza educativa controvento
1125 Alicia Giménez-Bartlett. Exit
1126 Claudio Coletta. Prima della neve
1127 Alejo Carpentier. Guerra del tempo
1128 Lodovico Festa. La confusione morale
1129 Jenny Erpenbeck. Di passaggio
1130 Alessandro Robecchi. I tempi nuovi
1131 Jane Gardam. Figlio dell'Impero Britannico
1132 Andrea Molesini. Dove un'ombra sconsolata mi cerca
1133 Yokomizo Seishi. Il detective Kindaichi
1134 Ildegarda di Bingen. Cause e cure delle infermità
1135 Graham Greene. Il console onorario
1136 Marco Malvaldi, Glay Ghammouri. Vento in scatola
1137 Andrea Camilleri. Il cuoco dell'Alcyon
1138 Nicola Fantini, Laura Pariani. Arrivederci, signor Čajkovskij
1139 Francesco Recami. L'atroce delitto di via Lurcini. Commedia nera n. 3
1140 Gian Mauro Costa, Marco Malvaldi, Santo Piazzese, Francesco Recami, Alessandro Robecchi, Gaetano Savatteri, Giampaolo Simi, Fabio Stassi. Cinquanta in blu. Otto racconti gialli
1141 Colin Dexter. Il giorno del rimorso
1142 Maurizio de Giovanni. Dodici rose a Settembre
1143 Ben Pastor. La canzone del cavaliere
1144 Tom Stoppard. Rosencrantz e Guildenstern sono morti
1145 Franco Cardini. Lawrence d'Arabia. La vanità e la passione di un eroico perdente
1146 Giampaolo Simi. I giorni del giudizio
1147 Katharina Adler. Ida
1148 Francesco Recami. La verità su Amedeo Consonni
1149 Graham Greene. Il treno per Istanbul
1150 Roberto Alajmo, Maria Attanasio, Giosuè Calaciura, Davide Camarrone, Giorgio Fontana, Alicia Giménez-Bartlett, Antonio Manzini, Andrea Molesini, Uwe Timm. Cinquanta in blu. Storie

1151 Adriano Sofri. Il martire fascista. Una storia equivoca e terribile
1152 Alan Bradley. Il gatto striato miagola tre volte. Un romanzo di Flavia de Luce
1153 Anthony Trollope. Natale a Thompson Hall e altri racconti
1154 Furio Scarpelli. Amori nel fragore della metropoli
1155 Antonio Manzini. Ah l'amore l'amore
1156 Alejo Carpentier. L'arpa e l'ombra
1157 Katharine Burdekin. La notte della svastica
1158 Gian Mauro Costa. Mercato nero
1159 Maria Attanasio. Lo splendore del niente e altre storie
1160 Alessandro Robecchi. I cerchi nell'acqua
1161 Jenny Erpenbeck. Storia della bambina che volle fermare il tempo
1162 Pietro Leveratto. Il silenzio alla fine
1163 Yokomizo Seishi. La locanda del Gatto nero
1164 Gianni Di Gregorio. Lontano lontano
1165 Dominique Manotti. Il bicchiere della staffa
1166 Simona Tanzini. Conosci l'estate?
1167 Graham Greene. Il fattore umano
1168 Marco Malvaldi. Il borghese Pellegrino
1169 John Mortimer. Rumpole per la difesa
1170 Andrea Camilleri. Riccardino
1171 Anthony Trollope. I diamanti Eustace
1172 Fabio Stassi. Uccido chi voglio
1173 Stanisław Lem. L'Invincibile
1174 Francesco Recami. La cassa refrigerata. Commedia nera n. 4
1175 Uwe Timm. La scoperta della currywurst
1176 Szczepan Twardoch. Il re di Varsavia
1177 Antonio Manzini. Gli ultimi giorni di quiete
1178 Alan Bradley. Un posto intimo e bello
1179 Gaetano Savatteri. Il lusso della giovinezza
1180 Graham Greene. Una pistola in vendita
1181 John Julius Norwich. Il Mare di Mezzo. Una storia del Mediterraneo
1182 Simona Baldelli. Fiaba di Natale. Il sorprendente viaggio dell'Uomo dell'aria
1183 Alicia Giménez-Bartlett. Autobiografia di Petra Delicado
1184 George Orwell. Millenovecentottantaquattro
1185 Omer Meir Wellber. Storia vera e non vera di Chaim Birkner
1186 Yasmina Khadra. L'affronto
1187 Giampaolo Simi. Rosa elettrica
1188 Concetto Marchesi. Perché sono comunista
1189 Tom Stoppard. L'invenzione dell'amore
1190 Gaetano Savatteri. Quattro indagini a Màkari
1191 Alessandro Robecchi. Flora

1192 Andrea Albertini. Una famiglia straordinaria
1193 Jane Gardam. L'uomo col cappello di legno
1194 Eugenio Baroncelli. Libro di furti. 301 vite rubate alla mia
1195 Alessandro Barbero. Alabama
1196 Sergio Valzania. Napoleone
1197 Roberto Alajmo. Io non ci volevo venire
1198 Andrea Molesini. Il rogo della Repubblica
1199 Margaret Doody. Aristotele e la Montagna d'Oro
1200
1201 Andrea Camilleri. La Pensione Eva
1202 Antonio Manzini. Vecchie conoscenze
1203 Lu Xun. Grida
1204 William Lindsay Gresham. Nightmare Alley
1205 Colin Dexter. Il più grande mistero di Morse e altre storie
1206 Stanisław Lem. Ritorno dall'universo
1207 Marco Malvaldi. Bolle di sapone
1208 Andrej Longo. Solo la pioggia
1209 Andrej Longo. Chi ha ucciso Sarah?
1210 Yasmina Khadra. Le rondini di Kabul
1211 Ben Pastor. La Sinagoga degli zingari
1212 Andrea Camilleri. La prima indagine di Montalbano
1213 Davide Camarrone. Zen al quadrato
1214 Antonio Castronuovo. Dizionario del bibliomane
1215 Karel Čapek. L'anno del giardiniere
1216 Graham Greene. Il terzo uomo
1217 John Julius Norwich. I normanni nel Sud. 1016-1130
1218 Alicia Giménez-Bartlett, Andrej Longo, Marco Malvaldi, Antonio Manzini, Santo Piazzese, Francesco Recami, Alessandro Robecchi, Gaetano Savatteri, Giampaolo Simi, Fabio Stassi, Simona Tanzini. Una settimana in giallo
1219 Stephen Crane. Il segno rosso del coraggio
1220 Yokomizo Seishi. Fragranze di morte
1221 Antonio Manzini. Le ossa parlano
1222 Hans von Trotha. Le ultime ore di Ludwig Pollak
1223 Antonia Spaliviero. La compagna Natalia
1224 Gaetano Savatteri. I colpevoli sono matti. Quattro indagini a Màkari
1225 Lu Xun. Esitazione
1226 Marta Sanz. Piccole donne rosse
1227 Susan Glaspell. Una giuria di sole donne
1228 Alessandro Robecchi. Una piccola questione di cuore
1229 Marco Consentino, Domenico Dodaro. Madame Vitti
1230 Roberto Alajmo. La strategia dell'opossum
1231 Alessandro Barbero. Poeta al comando

1232 Giorgio Fontana. Il Mago di Riga
1233 Marzia Sabella. Lo sputo
1234 Giosuè Calaciura. Malacarne
1235 Giampaolo Simi. Senza dirci addio
1236 Graham Greene. In viaggio con la zia
1237 Daria Galateria. Il bestiario di Proust
1238 Francesco Recami. I killer non vanno in pensione
1239 Andrea Camilleri. La coscienza di Montalbano
1240 Roberto Alajmo, Andrej Longo, Marco Malvaldi, Antonio Manzini, Francesco Recami, Alessandro Robecchi, Gaetano Savatteri, Fabio Stassi. Una notte in giallo
1241 Dominique Manotti. Marsiglia '73
1242 Claudio Coletta. In tua assenza
1243 Andrej Longo. Mille giorni che non vieni
1244 Alan Bradley. Le trecce d'oro dei defunti
1245 Emilienne Malfatto. Il lamento del Tigri
1246 Antonio Manzini. La mala erba
1247 Nicola Schicchi. Via Polara n. 5
1248 Roberto Alajmo. Notizia del disastro
1249 Jenny Erpenbeck. Il libro delle parole
1250 Marco Malvaldi, Samantha Bruzzone. Chi si ferma è perduto
1251 John Julius Norwich. Il regno nel sole. 1130-1194
1252 Andrea Camilleri. La guerra privata di Samuele e altre storie di Vigàta
1253 Ben Pastor. La Venere di Salò
1254 Graham Greene. Un Mondo tutto mio. Diario dei sogni
1255 L'isola nuova. Trent'anni di scritture di Sicilia
1256 Anthony Trollope. Il ritorno di Phineas Finn
1257 Alicia Giménez-Bartlett. La presidente
1258 Sergio Atzeni. Passavamo sulla terra leggeri
1259 Uwe Timm. Come mio fratello
1260 Dario Ferrari. La ricreazione è finita
1261 Giorgio Manganelli. Mia anima carnale
1262 Fabio Stassi. Notturno francese
1263 Alessandro Robecchi. Cinque blues per la banda Monterossi
1264 Alessandro Barbero. Brick for stone
1265 Franco Lorenzoni. Educare controvento. Storie di maestre e maestri ribelli